JN056383

iPad
はかどる!
仕事技
2024

standards

iPadなら
いつでも
どこでも
効率的かつ
創造的に

すぐに起動し広い画面とパワフルな
処理能力、柔軟な操作性で軽快に
仕事をこなせるiPad。本書ではパソ
コンともスマホとも異なるiPadだから
こそ実現できる、効率的かつ創造的
でスマートな仕事技をたっぷり紹介。
仕事のスタイルを劇的に変える1冊
になるはずです。

CONTENTS

INTRODUCTION   P2

QRコードの使い方   P10

SECTION 01

メモと文章作成の仕事技

01	Apple Pencilで快適な手書き環境を手に入れよう	P12
02	ノートアプリの正しく賢い選び方	P14
03	進化した標準メモアプリにアイデアを書き留めよう	P16
04	他のアプリ上にも小型ウインドウで呼び出せるクイックメモ	P20
05	最強の手書きメモ環境を実現するGoodNotes 6を使ってみよう	P22
06	手書きが不要ならGoogleドキュメントがおすすめ	P26
07	手書きにも対応したMicrosoftのクラウドノート	P28
08	録音とメモを紐付けできるNotabilityで議事録を取る	P32
09	長文を快適に入力したいならBearを使おう	P34
10	メモや文章同士をリンクさせて管理する	P40
11	定型文やクリップボードを駆使して文章作成を効率化	P42
12	長文の編集、再構成にはマルチタスクを利用しよう	P44
13	無限の領域に自由に書き込めるフリーボードを活用する	P46
14	Pagesのスマート注釈機能で一歩進んだ文章校正を	P50
15	文章を手書きで校正したいならマークアップを利用しよう	P52
16	言い換え機能が助かる文章作成アプリ	P53
COLUMN	ウィジェットの正しい活用法	P54

SECTION 02

文字入力の仕事技

01	長文入力も苦にならない専用キーボードを使ってみよう	P62
02	仕事の効率をアップする専用キーボードのショートカット	P66
03	覚えておくと便利な文字入力の機能と操作	P68

04 長文入力にも利用できる高精度の音声入力機能　　　　　　　　　　　P72

05 会議や打ち合わせの記録に最適な音声記録&文字起こしアプリ　　　　P76

06 紙の資料のテキストをスキャンして文章中に挿入する　　　　　　　　P78

07 写真やカメラに写った文字をテキストとして抽出する　　　　　　　　P79

08 手書き入力した文章を即座に翻訳する　　　　　　　　　　　　　　　P80

SECTION 03

ChatGPTの仕事技

01 iPadでChatGPTを利用して仕事を効率化する　　　　　　　　　　　P82

02 ChatGPTを使って文章を素早く作成する　　　　　　　　　　　　　P92

03 ChatGPTで文章をわかりやすく要約する　　　　　　　　　　　　　P96

04 情報を表形式で出力する　　　　　　　　　　　　　　　　　　　　P98

05 表形式のひな形やダミーデータを出力する　　　　　　　　　　　　P102

06 ChatGPTを翻訳に利用する　　　　　　　　　　　　　　　　　　P104

07 アプリの操作法を教えてもらう　　　　　　　　　　　　　　　　　P106

08 ChatGPTで最新情報も利用できるようにする　　　　　　　　　　P108

09 他のアプリ利用中にChatGPTをすぐ呼び出す　　　　　　　　　　P110

SECTION 04

オフィス文書の仕事技

01 iPadでオフィス文書を扱う際はどのアプリを使うべき?　　　　　　P112

02 互換性重視ならiPad版のWordとExcelを使おう　　　　　　　　　P116

03 表計算が格段に効率化する外付けテンキーを利用する　　　　　　　P124

04 Googleドキュメントとスプレッドシートを使ってみよう　　　　　　P126

05 複数のユーザーで書類を作成、編集する　　　　　　　　　　　　　P130

06 Pagesで見栄えのよい企画書、資料を作成する   P134

07 KeynoteとApple Pencilで最強のプレゼン環境を構築   P138

08 ExcelやWordのファイルはOneDriveで管理する   P142

SECTION 05
PDFの仕事技

01 PDFを柔軟に扱えるPDF Expertを導入しよう   P144

02 PDFの書類に指示や注釈を書き加える   P148

03 書き加えた指示や注釈を編集できないようにして送信する   P152

04 PDFの書類上に注釈のあるページだけを抽出する   P153

05 2つのPDFを同時に開いて書き込みを行う   P154

06 PDFのページを編集する   P158

07 PDF内の文章や画像を編集する   P162

08 PDFファイルにメモページを追加する   P164

09 紙の書類や各種印刷物をスキャンしてPDF化する   P166

10 無料で使えるおすすめPDFアプリを利用しよう   P168

11 オフィス文書やWebサイトをPDF化する   P170

12 PDFアプリに手書きノートが備わったFlexcilを使う   P172

COLUMN iPadとiPhoneの連携機能を利用する   P174

SECTION 06
クラウドとファイル管理の仕事技

01 パソコン上のファイルをいつでもiPadで扱えるようにする   P182

02 iPadで扱うファイルはすべてDocumentsで管理しよう   P186

03 Dropboxのフォルダを他のユーザーと共有する   P192

04 クラウド経由で大きいファイルを送信する　　　　　　　　　　P194

SECTION 07
操作自動化の仕事技

01 いつもの操作をワンタップで実行するショートカット機能　　　　P196
02 アプリを横断する複雑な処理をショートカットで自動化する　　　P198
03 いつもの作業環境をショートカットで素早く表示する　　　　　　P206
04 イベントが起こった際に自動的にアクションを実行させる　　　　P208

SECTION 08
スケジュールとタスク管理の仕事技

01 標準カレンダーをGoogleカレンダーと同期させる　　　　　　　P214
02 Outlookの予定表をiPadと同期する方法　　　　　　　　　　P216
03 メールの文面から予定や連絡先を登録　　　　　　　　　　　　P218
04 共有カレンダーを作成して複数人で予定を共有する　　　　　　　P219
05 カレンダーの予定をスプレッドシートで効率的に入力する　　　　P220
06 多彩なウィジェットが秀逸なカレンダーアプリ　　　　　　　　　P222
07 日時とイベント名をまとめて入力できるカレンダーアプリ　　　　P224
08 直接手書きで書き込めるカレンダーアプリ　　　　　　　　　　　P226
09 スケジュール機能でメールをリマインダーとして活用　　　　　　P227
10 スケジューリングやタスク管理にLINEを利用する　　　　　　　P228
11 チームのコミュニケーションをSlackで円滑に行う　　　　　　　P230
COLUMN iPadとMacの連携機能を利用する　　　　　　　　　　P236

SECTION 09
メール管理の仕事技

01 重要度の低いCcメールをフィルタ機能で表示させない　　　　　P252

02 読まないメールを振り分ける「VIP」機能の応用ワザ　　　　　P254

03 メールはすべてGmailを経由させる　　　　　P256

04 Gmailの演算子で必要なメールを素早く探し出す　　　　　P260

05 Gmailの情報保護モードを利用する　　　　　P262

06 仕事で使いこなすためのメールアプリ便利ワザ　　　　　P263

SECTION 10
その他の仕事技

01 画質のよいWebカメラを接続してビデオ会議に参加する　　　　　P270

02 高精度で自然な表現がすごい翻訳アプリ　　　　　P272

03 画像スタンプで押印したPDF書類を作成する　　　　　P274

04 iPadで外付けストレージを利用する　　　　　P276

05 Safariのプロファイルを用途に応じて切り替える　　　　　P278

06 ドラッグ&ドロップでデータを一時保存し作業を効率化する　　　　　P279

07 iPadをWindowsパソコンのサブディスプレイにする　　　　　P280

08 通知の読み上げ機能を利用する　　　　　P281

09 Xの検索オプションで情報収集を効率化する　　　　　P282

10 写真を切り抜いて企画書やプレゼンに利用する　　　　　P283

11 iPadの画面をさらに広く使う設定方法　　　　　P284

12 テキストやファイルを別のアプリへドラッグ&ドロップ　　　　　P285

13 Siriへの問いかけや返答を文字で表示して確認　　　　　P286

14 仕事用iPadに最適なモバイル通信プランは?　　　　　P287

ＱＲコードの使い方

アプリを紹介している記事にはQRコード
が掲載されている。コントロールセンターの
「コードスキャナー」をタップしカメラをQR
コードへ向けると、すぐにスキャンされ、
App Storeの該当ページが表示される。
コントロールセンターにコードスキャナーが
ない場合は、「設定」→「コントロールセン
ター」で追加しておこう。

はじめにお読みください

本書掲載の情報は、2023年9月〜10月のもの
であり、各種機能や操作法、表示メニューなどは
アップデートにより変更される可能性がありま
す。本書の内容は検証した上で掲載しています
が、すべての環境での動作を保証するものでは
ありません。本書掲載の操作によって生じたいか
なるトラブル、損失についても著者およびスタン
ダーズ株式会社は一切の責任を負いません。す
べて自己責任でご利用ください。

01

メモと文章作成
の仕事技

Apple Pencilで快適な
手書き環境を手に入れよう

仕事にも使えるiPad用ペン入力デバイス

　iPadを仕事で使うなら、ぜひApple Pencilも用意しよう。ちょっとしたアイデア
のメモや会議の記録、書類への指示入力やプレゼン用のスケッチなど、多岐に
わたる用途で大活躍するはずだ。スタイラスペンとしては少々高額だが、スムーズ
なレスポンスと書き心地、iPadOSとの親和性を考えると、他の安価な製品とは
別物と言えるほどの差がある。ペーパーレス化も加速する上、Apple Pencilがあ
るとないとでは仕事のスタイルが変わるほどだ。なお、Apple Pencilには第1世代
と第2世代、USB-Cモデルの3種類があり、それぞれ対応するiPadのモデルが異
なる。第2世代はiPad側面にマグネット接着で充電できるなどあらゆる面で高性
能なので、Apple Pencil目的でこれからiPadを購入するなら第2世代対応モデ
ルがおすすめだ。

Apple Pencilのモデルは3種類

Apple Pencil
第1世代
価格 14,880円(税込)

第2世代
価格 19,880円(税込)

USB-C
価格 12,880円(税込)

Apple Pencilの現行モデルは、第1世代と第2世代、USB-Cの3種類。第2世代のみ、マグネットでのワイヤレ
ス充電やダブルタップによるツールの切り替えに対応する。最も安価なUSB-Cモデルはマグネットで取り付けで
きるが充電はできず、筆圧感知も非対応。第1世代は筆圧感知に対応するが、マグネットでの取り付けやiPad
Proでのポイント機能が使えない。

Apple Pencilの対応機種について	モデル	対応機種
	Apple Pencil 第1世代	iPad(第6〜第9世代/第10世代は変換アダプタが必要)/iPad Air(第3世代)/iPad mini(第5世代)/iPad Pro 9.7、10.5、12.9(第1、2世代)
	Apple Pencil 第2世代	iPad Air(第4世代以降)/iPad Pro 11/iPad Pro 12.9(第3世代以降)/iPad mini(第6世代以降)
	Apple Pencil USB-C	iPad Air(第4世代以降)/iPad Pro 11/iPad Pro 12.9(第3世代以降)/iPad(第10世代)/iPad mini(第6世代)

筆圧や傾きに対応

第2世代およびUSB-CモデルのApple Pencilと、M2チップ搭載のiPad Pro（12.9インチ第6世代と11インチ第4世代）の組み合わせなら、画面の最大12mm上でペン先を検知しより高い精度で描画できる

Apple Pecilは、ペンでタッチしてから描画されるまでのタイムラグもなく、実際のペンに近い書き心地だ。筆圧によって線の太さを変えたり、ペンの傾きで濃淡を表現したりなどもできる。

ダブルタップでツール切り替え

ダブルタップ時の動作を選択

第2世代のApple Pencilは、側面をダブルタップした際の動作を「設定」→「Apple Pecil」で変更できる。ツールと消しゴムを切り替えたり、カラーパレットの表示に割り当てておこう。

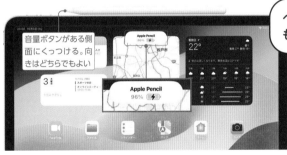

音量ボタンがある側面にくっつける。向きはどちらでもよい

ペアリングも充電も簡単にできる！

第2世代のApple Pencilと対応iPadであれば、本体側面にペンをくっつけるだけで、ペアリングとワイヤレス充電が可能だ。

あると便利なApple Pencil用アクセサリ

Apple
Apple Pencilチップ - 4個入り

実売価格 2,980円
Apple Pencilのペン先は使っているうちに削れてしまうので、交換用のペン先があると安心。純正品で用意されている。

Apple
USB-C - Apple Pencilアダプタ

実売価格 1,380円
iPad（第10世代）でApple Pencil 第1世代を充電するのに必要。現在販売中のApple Pencil 第1世代には同梱済み。

エレコム
太軸タイプ ペンタブ風グリップ

実売価格 619円〜973円
程よい太さと低重心で安定した書き心地を得られる専用グリップ。第1世代、第2世代それぞれの対応製品がある。

ノートアプリの 正しく賢い選び方

用途に合わせて自分にぴったりのアプリを使おう

　iPadを仕事で活用するのに欠かせないのがノートアプリだ。標準メモ以外にも、便利で使いやすいノートアプリは多いので、ここではタイプの異なる人気ノートアプリをいくつか紹介する。ノーアプリを選ぶ際は、大きく3つのポイントに注目しよう。まずひとつ目は、作成したノートを自分だけで使うか、他のユーザーと共有したり共同編集するか。次にiPadやAppleデバイスだけで使うか、パソコンやAndroidスマホでも使うか。最後に手書きでサッとメモするか、テキストで長文入力するか。この3つの条件から絞り込んだ上で、書き心地やノート管理のしやすさ、レイアウトの自由度、独自機能など細かな使い勝手をチェックしていけば、ベストなノートが見つかるだろう。もちろん必要に応じて使い分けてもいい。

使いやすいノートアプリを選ぶ3つのポイント

1 他のユーザーと 共有するかどうか

ノートを自分だけで使うなら、使い勝手が好みのアプリを選べばよい。他のユーザーと共有したり共同編集するのが前提なら、クラウド上で利用できる「Googleドキュメント」や「OneNote」がおすすめ。

2 ノートを利用する プラットフォームは?

標準の「メモ」や「GoodNotes 6」を始めとして、iPad向けアプリの方がApple Pencilに最適化されており使い勝手も機能も優秀なものが多い。Androidやパソコンでも使うなら「Googleドキュメント」や「OneNote」が有力な候補。

3 手書きへの対応 も重要ポイント

iPadでサッとメモするには手書きできるかも重要なポイント。特に「GoodNotes 6」は手書きに特化して使いやすいが、長文を書くならテキスト入力機能が充実した「Bear」や「Googleドキュメント」のほうが快適だ。

メモ（標準アプリ）

→P16

iPad標準のメモアプリ。思いついたアイデアを気軽にサッとメモできる即応性の高さは他のアプリにない快適さ。Apple Pencilとの親和性は抜群だ。Webブラウザ上でも使えるが、基本的にはiPadやiPhoneといったAppleデバイスで完結する人向け。

対応端末
iOS／iPadOS／macOS／
Windows／Android

手書き対応
○

※WindowsとAndroidでは、WebブラウザでiCloud.comにアクセスして利用

GoodNotes 6

→P22

手書きでノートを作成したいなら、とりあえずこのアプリをインストールしておけばよい。紙のノートに書く感覚で、アイデアや要点を素早くまとめられる。ペンツールの書き心地や、操作性の良さ、見やすさ、ノートの管理のしやすさがトップクラス。

対応端末
iOS／iPadOS／macOS／
Windows／Android

手書き対応
○

※WindowsとAndroid版は機能制限あり。Android版はSamsungタブレット（メモリ3GB以上／8インチ以上）のみ対応。

Google ドキュメント

→P26

Googleアカウントがあれば無料で使えるノートアプリ。手書きには対応していないので、テキスト中心でメモやビジネス文書を作りたい人向け。Webブラウザやandroidスマホなど環境を選ばず使えて、他のユーザーと共同編集しやすいのも特徴だ。

対応端末
iOS／iPadOS／macOS／
Windows／Android

手書き対応
×

Microsoft OneNote

→P28

Microsoftアカウントがあれば無料で使えるノートアプリ。Googleドキュメントと同様にクラウドベースのアプリなので、環境を選ばず使えて、他のユーザーと共同編集しやすい。また手書きにも対応するほか、音声やファイルなどさまざまなデータを扱える。

対応端末
iOS／iPadOS／macOS／
Windows／Android

手書き対応
○

Notability

→P32

このアプリは少し特殊で、録音データと入力メモが連動するという他にはない特徴的な機能を備えており、会議や授業の記録に最高の威力を発揮する。他のアプリにはない機能なので、メインで使うノートアプリとは別にインストールしておくのがおすすめ。

対応端末
iOS／iPadOS

手書き対応
○

Bear

→P34

シンプルで見やすいテキストエディタが欲しいならこれ。手書き入力にも対応するが、基本はMarkdown記法を駆使して、テキストのみで長文入力する使い方に向いている。ブログやレポートの作成に最適だ。ただしiCloudで同期するには400円／月の課金が必要。

対応端末
iOS／iPadOS／
macOS

手書き対応
○

進化した標準メモアプリに アイデアを書き留めよう

iPadならではの機能を使って手軽にメモを作成できる

　iPadで気軽にメモを取れるという点では、OSレベルで連携する標準の「メモ」アプリに勝るものはない。テキストも手書きも混在して入力でき、iCloudでiPhoneやMacとの同期が可能で、画像や表の挿入も自在。さらにクイックメモ（P20で解説）機能で素早くメモできるほか、手書き文字の検索や、手書き文字をテキストに自動変換するスクリブル機能、手書き文字を選択してテキストとしてコピーできるスマートセレクション機能なども日本語に対応している。iPadとApple Pencilの組み合わせで使ってこそ真価を発揮するアプリだ。ただ、WindowsやAndroidスマホでメモを編集するにはWebブラウザでiCloud.comにアクセスする必要があり、Appleデバイス以外での使い勝手はあまり良くない。招待メールや共有リンクの送信で他のユーザーと共同編集することも可能だが、基本的にメモアプリで作成したメモは、Appleデバイスで自分のみ利用するのが前提と割り切ろう。

標準アプリなのでiPadとの相性は抜群

iPadだけでメモするなら最適

iPad＋Apple Pencilの組み合わせで使う標準メモアプリは、有料アプリ並みと言っていいほど優秀。Appleデバイスのユーザーとならデータの共有もスムーズだが、他のプラットフォームでは使い勝手がよくない。

文字を入力して書式設定を行う

1 新規メモを作成して文字を入力する

新規メモを作成

新規メモを作成する場合は、画面右上のボタンをタップ。空白のメモが作成されるので、画面をタップしてテキストを入力していこう。

2 テキストを選択して書式設定を行う

書式設定を行う

一部の文字を大きくしたいときや行揃えを変更したいときは、変更したい部分を選択。上部の書式設定ボタンから設定を行おう。

画像や表を挿入する

1 メモに画像を挿入する

タップ

カーソル位置に画像が挿入される

メモに画像を挿入したい場合は、上部のカメラボタンをタップ。「写真またはビデオを選択」からiPad内の写真を選択し、「追加」で挿入が可能だ。

2 メモに表を挿入する

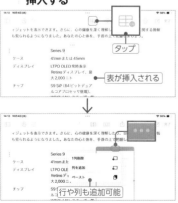

タップ

表が挿入される

行や列も追加可能

キーボード上部の表ボタンをタップすると表が追加される。各セル内に値を入力していこう。表の「…」をタップすれば、行や列を追加することが可能だ。

1 手書きメモを記入する

ツールをタップして線の太さなどを変更できる

手書きメモを記入したい場合は、マークアップボタンをタップし、各種ツールで描画していこう。Apple Pencilで空白部分にタッチすれば、ボタンを押さなくてもそのまま描き始めることができる。

2 手書きメモなどをキーワード検索する

キーワードを入力

サイドメニュー上部の検索欄でメモをキーワード検索できる。テキストの他にも、手書き文字、写真の内容、スキャンした書類内のテキストなどがすべて検索対象となる。

3 手書き文字をテキストのように選択できる

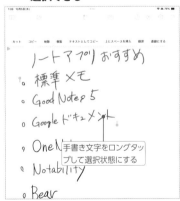

手書き文字をロングタップして選択状態にする

手書き文字をロングタップすると、テキストのように範囲選択できる。ドラッグして配置を変更したり、コピー&ペーストしたり、選択した手書き文字をテキストとしてコピーし貼り付けることも可能だ。

4 手書き文字をスクリブル機能でテキスト変換する

このツールで書いた手書き文字がテキストに自動変換される(スクリブル機能)

「日本語」を選択

「A」と表示されたペンで手書き文字を入力すると、自動でテキストに変換される。日本語がうまく変換されない場合は、マークアップツール内のキーボードボタンをタップして「日本語」を選択。

書類をスキャンしてメモに挿入する

1 カメラボタンから書類をスキャンする

「書類をスキャン」を選択

iPadのカメラを使って、書類をメモ内に取り込むことが可能だ。まずは、カメラボタンをタップして「書類をスキャン」をタップ。

2 書類をカメラで撮影する

書類を撮影する

カメラが起動するので、机の上などに書類を載せて画面内に収まるようにしよう。黄色いフレームが表示され、自動的に書類が撮影される。

ロック画面から素早くメモを起動する

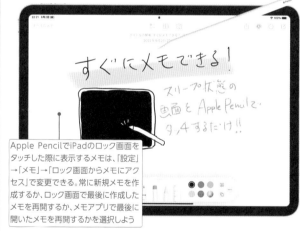

一瞬で手書きメモを利用できる！

Apple PencilでiPadのロック画面をタッチした際に表示するメモは、「設定」→「メモ」→「ロック画面からメモにアクセス」で変更できる。常に新規メモを作成するか、ロック画面で最後に作成したメモを再開するか、メモアプリで最後に開いたメモを再開するかを選択しよう

Apple PencilでiPadのスリープまたはロック画面をタッチすると、即座にメモが起動する。iPadでとっさにメモを書き留めたいときにかなり便利なので、Apple Pencilユーザーは覚えておこう。

使いこなしヒント3 Siriに音声で指示してスピーディにメモを取る

今すぐメモを取りたい時に、いちいちiPadでメモを開いてキーボードで入力しなくても、Siriを使えば簡単に音声入力できるので覚えておこう。「設定」→「Siriと検索」→「"Hey Siri"を聞き取る」と「ロック中にSiriを許可」をオンにしておけば、「Hey Siri、○○とメモ」と話しかけるだけで、○○の内容が新規メモとして保存される。

他のアプリ上にも小型ウインドウで呼び出せるクイックメモ

アプリ起動中でもテキストやリンクなどをメモとして残せる

　ホーム画面や他のアプリを利用中でも、どんな画面でも右下から左上に向けてスワイプすると、「クイックメモ」が起動する。Webページ中のテキストをリンクとともに保存したり、FaceTimeでのビデオ会議中にさっとメモを残すなど、いろいろなシーンで活用できるので使いこなしてみよう。作成したクイックメモは、メモアプリの「クイックメモ」フォルダに保存され、あとから編集も行える。またクイックメモは、ステージマネージャやSlide Over、Split Viewなどのマルチタスク機能で複数のアプリを開いている画面や、ピクチャインピクチャ（動画再生などを小さなウインドウで表示する機能）を使用中の画面でも呼び出せるので、プラス1画面多く使って作業することが可能だ。Sidecar（P237で解説）でMacと接続した際も、iPadの画面右下（黒い部分）から中央に向けてスワイプすると小さなハンドルが表示され、これをタップするとiPadにクイックメモの画面を呼び出せる。

マルチタスク上でも使える

> クイックメモでプラス1画面多く使える！

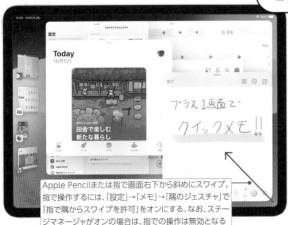

画面右下から左上にスワイプするとクイックメモが表示される。ステージマネージャやSlide Over、Split Viewを使ったマルチタスク上でも呼び出せるほか、さらにピクチャインピクチャで動画再生画面を追加することも可能だ。クイックメモを表示するジェスチャは、「設定」→「メモ」→「隅のジェスチャ」で変更できる。

Apple Pencilまたは指で画面右下から斜めにスワイプ。指で操作するには、「設定」→「メモ」→「隅のジェスチャ」で「指で隅からスワイプを許可」をオンにする。なお、ステージマネージャがオンの場合は、指での操作は無効となる

1 クイックメモにテキストや 手書きメモを書き込む

クイックメモ内をタップするとテキストを入力できる。右下のマークアップツールボタンをタップすると、手書きメモの入力も可能だ。

2 写真やテキストを ドラッグ&ドロップで挿入

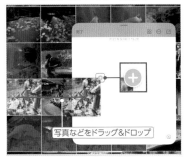

写真などをドラッグ&ドロップ

クイックメモには、他のアプリで選択した写真やテキスト、リンクなどをドラッグ&ドロップで挿入できる。ドラッグした際に「+」マークが表示されれば挿入可能だ。

3 Safariで開いている Webページのリンクを追加

「リンクを追加」ボタンをタップ

Safari上でクイックメモを開くと、上部に「リンクを追加」というボタンが表示される。これをタップすると、そのページのリンクが挿入される。アドレスをクイックメモ内にドラッグしてもよい。

4 リンク付きのテキストを クイックメモに追加する

クイックメモに追加

テキストを選択してタップ

SafariでWebページのテキストを選択し、「新規クイックメモ」または「クイックメモに追加」をタップ。すると、クイックメモにリンク付きのテキストが追加される。あとでWebページを参照したいときに便利だ。

使いこなし ヒント

クイックメモの保存先

作成したクイックメモは、メモアプリの「クイックメモ」フォルダに保存される。通常のメモと同じように閲覧や編集が可能だ。なお、クイックメモの画面右上にある4つの四角ボタンをタップすると、すぐにメモアプリが起動して過去のクイックメモが一覧表示される。

最強の手書きメモ環境を実現する
GoodNotes 6を使ってみよう

手書きに特化した人気のノートアプリ

　iPadでも紙のノートに書く感覚でメモを取りたい人におすすめなのが、手書きに特化したノートアプリ「GoodNotes 6」だ。手書き入力での書き心地が良く、ペンの太さやカラーも直感的に変更できるほか、フォルダで階層化してノートを管理できる点も使いやすい。消しゴムや投げ縄はツールを切り替えなくても利用できるなど、細かな操作性も優秀。さらに、手書き文字をキーワード検索したり、iCloud同期以外にDropboxやGoogleドライブ、OneDriveに自動バックアップする機能も備える。またテキスト入力した文章の語調を変えたり長く／短くまとめてくれるAI機能も搭載している。考えをまとめる時に、とりあえずざっと書き出して整理したい人に向いたアプリだ。なおWindowsやAndroid版もあるが、iPad版と比べると機能が制限されるほか、Android版はメモリ3GB以上／8インチ以上のSamsungタブレットでしか使えない。

直感的に使える手書きノートアプリ

> 自分用の手書きメモを
> 作成するならベスト！

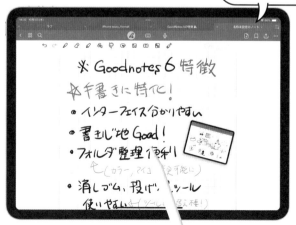

GoodNotes 6
作者 Time Base
Technology Limited
価格 無料

紙のノートに書くのと同じ感覚で手書きできるアプリ。会議内容をレジュメにまとめたり、プレゼンのアイデアを書き出して整理するなど、自分用の手書きノートを作成するのに向いている。無料版はノートを3冊まで作成できる。

1 同期とバックアップ 設定を済ませる

iCloud同期を
オンにしておく

DropboxやGoogleドライブ、OneDrive
にPDF形式などで自動バックアップできる

右上の歯車ボタンをタップし「クラウド&バックアップ」をタップ。「クラウドストレージ」→「iCloudを使用して書類を同期」をオンにしておこう。また「自動バックアップ」で他のクラウドに自動バックアップできる。

2 フォルダを作成して ノートを整理する

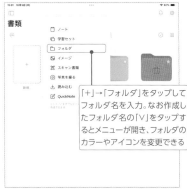

「+」→「フォルダ」をタップしてフォルダ名を入力。なお作成したフォルダ名の「∨」をタップするとメニューが開き、フォルダのカラーやアイコンを変更できる

フォルダ管理が優秀なので、あらかじめ「仕事」「個人」「その他」といったフォルダを作成しておくのがおすすめ。フォルダ内にサブフォルダを作成することもできる。

1 新規メニューから ノートを作成する

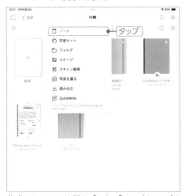

作成したフォルダを開き、「+」→「ノート」をタップすると、新規ノートを作成できる。不要なノートは、右上のチェックボタンで選択し、「ゴミ箱」をタップして削除できる。

2 表紙と用紙を テンプレートから選択

テンプレートは、ノートを開いた状態で右上の「…」→「テンプレートを変更」をタップすれば、あとからでも変更できる

ノートの名前を付けたら、表紙と用紙のデザインをテンプレートから選択しよう。テンプレートは横向きと縦向きがあるので、使いやすい向きに決めておくこと。

1 ノートに手書きで メモしていく

上部ツールバーのボタンで手書き入力、テキスト入力、音声入力を切り替える。手書き入力ボタンをタップし、手書きでメモしていこう。その下のメニューボタンでペンの種類や太さ、カラーを変更可能だ。

2 新しいページを 追加する

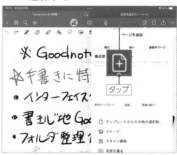

右上の「+」ボタンをタップすると、テンプレートを選択して新しいページを追加できる。また、ページを左にスワイプするだけで新規ページを追加することもできる。

3 間違えた文字を こすって消す

手書きした文字を消したい時は、消したい箇所をグシャグシャとこするだけで文字を消すことができる。もちろん消しゴムツールに切り替えてから消してもよい。

4 投げ縄で選択して 文字を移動する

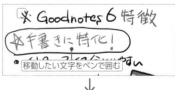

ペンのままで文字を囲み、その囲んだ線をロングタップすると、投げ縄ツールで選択した状態になりドラッグして移動できる。もちろん投げ縄ツールに切り替えてから文字を囲んで選択してもよい。

1 強力な検索機能を活用する

複数のノートを横断検索する

↓

開いているノート内を検索する

サイドメニューの「検索」画面で、すべてのノートを横断検索できる。またノートを開いて上部ツールバーの検索ボタンをタップすると、表示中のノート内を検索できる。手書き文字も検索対象だ。

2 テキストをAI機能で整える

タップ

↓

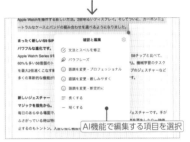

AI機能で編集する項目を選択

テキストを選択して上部メニューの一番左にあるボタンをタップすると、AI機能を使った編集を行える。文法とスペルを修正したり、文章の語調を変更する、長く／短くするといった編集が可能だ。ただし精度はあまり高くない。

> PDFを開いて
> 手書きメモを
> 書き込んでみよう!

使いこなしヒント PDFを読み込んで手書きメモを追加する

GoodNote 6では、PDFを開いて手書きメモを追加することが可能だ。メールで送られてきた資料に注釈を入れたい、といったときなどに使おう。なお、あらかじめPDFをiCloud Driveに保存しておけば、GoodNote 6のノート一覧画面から「+」ボタンをタップして、「読み込む」で読み込むことができる。

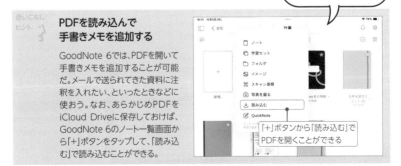

「+」ボタンから「読み込む」でPDFを開くことができる

手書きが不要なら
Googleドキュメントがおすすめ

他のユーザーと共同編集しやすいのもポイント

　手書き入力が不要でテキスト入力のみで文書を作成したいなら「Googleドキュメント」を使ってみよう。Googleドキュメントは、クラウド型の文書作成サービスで、Googleアカウントさえあれば無料で使うことができる。iPadだけでなく、iPhoneやAndroid、Windows、Macなど、機種を問わず利用可能なのが特徴だ。これなら思い付いたアイディアをiPadで書きためておき、会社や家のパソコンでしっかりとした企画書を作る、といった運用も手軽に実現できる。Wordと同じような編集機能を備えているため、テキストだけでなく、画像や表などを使った本格的なビジネス文書も作成可能だ。また、同じ文書を他のGoogleアカウントユーザーに共有して、リアルタイムに共同編集できる機能も搭載。Googleアカウントを所持しているユーザーは多いため、気軽に共有して共同作業が行える点も魅力だ。

デバイスを選ばず快適に文書を作成できる

テキストでの文書
作成ならおまかせ！

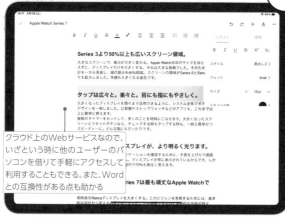

クラウド上のWebサービスなので、いざという時に他のユーザーのパソコンを借りて手軽にアクセスして利用することもできる。また、Wordとの互換性がある点も助かる

Google ドキュメント
作者 Google LLC
価格 無料

手書き入力はできないが、テキスト入力がメインで、ＷｅｂブラウザやWindowsやAndroidでも使いたいならこのアプリがおすすめ。他のユーザーとの共同編集も手軽で使いやすい。

Googleドキュメントの基本的な使い方

1 Googleドキュメントで文書を新規作成する

「+」で文書を新規作成する

Googleドキュメントを起動したら、Googleアカウントでサインイン。文書を新規作成する場合は、一覧画面の右下にある「+」→「新しいドキュメント」をタップ。

2 テキストを入力して文書を作成していこう

太字、斜体、文字色、行揃えなどのテキスト関連の機能はここから操作する

画像や表の挿入、テキストや段落の設定はここから行う

テキストや画像、表などを用いて文書を作成していこう。基本的な機能はWordとほぼ同じなので、Wordを使い慣れている人なら迷うことはない。

他のユーザーと同じ文書を共同編集する

1 共有したい相手に招待メールを送る

文書を開いた直後にタップする

文書を他のユーザーと共同編集したい場合は、文書を開いた直後、右上に表示される共有ボタンをタップして、他のユーザーを招待しよう。

2 同じ文書をリアルタイムで共同編集する

他のユーザーが編集中の場所

招待された他のユーザーは同じ文書を同時に編集可能だ。他のユーザーの編集中は、色の違うカーソルがリアルタイムで表示される。

使いこなしヒント

パソコンでGoogleドキュメントを編集する

Googleドキュメントは、パソコンのWebブラウザからも利用可能だ。以下のURLにアクセスしよう。

Googleドキュメント
https://docs.google.com/

手書きにも対応した Microsoftのクラウドノート

あらゆるデータを自由に配置して整理できる

　他のユーザーと共有や共同編集することが多く、さらに手書き入力も必要な人は「OneNote」を使おう。利用に必要なMicrosoftアカウントは、Googleアカウントほど汎用性はないものの、WindowsやOfficeユーザーなら登録済みの人が多く共有しやすい。作成したノートは自動的にOneDrive（Microsoftのクラウドストレージ）で同期され、WebブラウザやWindows、Androidなどデバイスを選ばず利用できる。テキストと手書きを混在できるほか、画像、音声、表、ファイル、リンクなどのデータを挿入でき、ページの大きさに制限がないのでレイアウトも自由自在。企画のアイデアを書き留めたり、調べた情報を貼り付けてまとめる使い方に向いている。メニューはWordやExcelと似ており、普段Officeアプリを使っている人には分かりやすい。ただ、テキスト入力はテキストボックスを個別に作成する仕様なので、普通のノートアプリと比べて操作にクセがある。

ページ内にさまざまなデータを集約しよう

Microsoft OneNote
作者 Microsoft Corporation
価格 無料

WindowsやAndroidでも利用し、他のユーザーと共有や共同編集することが多い人向けのノートアプリ。Googleドキュメントでは利用できない手書き入力に対応する。さまざまなデータを扱える分、操作性はやや煩雑。

手書きノートを
共同編集できる

1 アプリを起動して 新規ノートブックなどを作成

タップして階層の一番上に戻る

①ノートブックやセクション、ページを作成する

②ここをタップしてページの編集画面に移動

\+ ノートブック　　\+ セクション　　\+ ページ

OneNoteを起動したら、Microsoftアカウントでサインインする。次に一番上の階層まで戻り、ページ下のボタンでノートブックなどを新規作成しよう。右端の空欄をタップしてページの編集画面に移動する。

2 ページのタイトルを決めて 文字を入力していこう

ページタイトルを決める

GoodNotes 6

タップした位置に文字を入力。テキストボックスの上部にある「…」をドラッグすれば位置を変更可能

ページの編集画面になったら、一番上の入力欄をタップしてページに名前を付けておこう。次に「ホーム」タブを開いた状態で、ページの好きな位置をタップ。これでページ上に文字を入力することができる。

ノートブックの階層は 3つに分かれている

OneNoteのノートブックは、いくつかの階層に分かれている。一番上に「ノートブック」があり、次に「セクション」、その下に「ページ」という階層関係だ。ノートブックは、「アイディアメモ」や「日記」といった目的別に分けておくといい。セクションやページも、自分が使いやすいように分類しておこう。

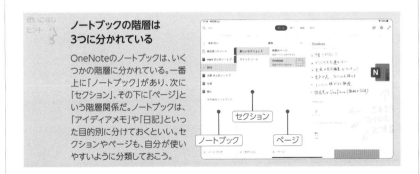

ノートブック　　セクション　　ページ

1 「描画」画面を表示して ツールを選択

①「描画」タブを表示
②ツールを選択

ページ上に手書きでメモを書き込みたいときは、「描画」タブをタップしよう。画面上部から書き込みに使うツールを選択する。

2 手書きのメモを 書き込む

手書きでメモできる

指先やApple Pencilなどのペン入力デバイスで書き込んでみよう。描画の各ツールでは、ページのどの位置でも書き込みすることができる。

1 「挿入」画面で さまざまな要素を挿入できる

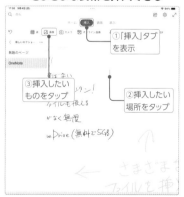

①「挿入」タブを表示
③挿入したいものをタップ
②挿入したい場所をタップ

「挿入」タブを開くと、画像やファイル、表、リンクなど、さまざまな情報をページに挿入することができる。ここでは画像を挿入してみよう。

2 挿入する位置や 大きさを変更する

画像の位置や大きさを変更

挿入したい画像を選んだら、画像中央のボタンで位置を変更、周りにある■ボタンで大きさを変更できる。好きな位置にレイアウトしよう。

ノートブックをほかのユーザーと共同編集する

1 共有ボタンから開いている ノートブックを共有

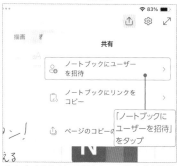

ノートブックを共有して、ほかのユーザーと共同編集したい場合は、画面右上の共有ボタンをタップ。「ノートブックにユーザーを招待」をタップする。

2 共有したい相手に 招待メールを送る

メールアドレスを入力して「送信」をタップ。なお、本機能はノートブック全体が共有されるので注意しよう

共有する相手のメールアドレスを入力して送信すれば、招待メールが送られる。相手がメールに記載されたリンクからアクセスすれば共同編集が可能だ。

iPadで作成したデータをパソコンで編集する

パソコンでも OneNoteが 使える!

iPadのOneNoteで作成したデータは、即座にOneDriveに同期される。パソコンなどほかの端末でOneNoteを開くと、OneDriveから最新のデータが同期され、そのまま編集を再開することが可能だ。WindowsやMac用のOneNoteアプリは、各公式ストアで無償提供されている。なお、Android用のアプリも無料だ。

Windows版OneNoteの違い

Windows用のOneNoteは「OneNote」と、Windows 10に標準インストールされている「OneNote for Windows 10」の2種類が混在していたが、現在はストアアプリ版も、Microsoft 365と共にインストールされるのも、https://www.onenote.com/downloadからダウンロードできるのも、すべて「OneNote」に統一された。「OneNote for Windows10」は2025年10月にサポート終了なので、「OneNote」のほうを利用しよう。

録音とメモを紐付けできる Notabilityで議事録を取る

会議やセミナーの音声を録音してあとで聞くことが可能

　「Notability」はノートアプリとしての機能を見ても完成度が高く、テキストと手書きを混在でき、画像やスタンプなどを自由にレイアウトできるほか、ペンをお気に入り登録できたり、フォルダをパスワードで保護できるなど、他のノートアプリにはあまりない便利な機能も備えている。何よりもユニークなのが、メモを入力しながら録音できる点だ。録音しながらテキストや手書きなどでメモを入力していくと、録音とメモが紐付けされ、音声再生時にはメモを書いている様子がアニメーションで再生されるのだ。この機能を活用すれば、会議やセミナーで音声を録音しながら重要なポイントだけをメモしつつ、あとで音声を聞きながら詳細な議事録を作成するといった作業も簡単。数あるノートアプリの中でも唯一無二と言っていい機能なので、メインで使うノートアプリのほかに、Notabilityを併用するのがおすすめだ。ただし、無制限の編集や手書き認識、iCloud同期などを利用するには、年1,480円のサブスクリプション登録が必要となる。

会議の様子を録音しながらメモを取れる

Notability
作者 Ginger Labs
価格 無料

録音した音声と入力したメモが関連付けられるのがとにかく画期的。他にメインで使っているノートアプリがあっても、会議用のノートアプリとしてiPadにインストールしておきたい。

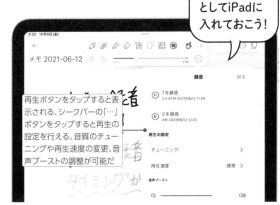

会議や授業用としてiPadに入れておこう!

再生ボタンをタップすると表示される、シークバーの「…」ボタンをタップすると再生の設定を行える。音質のチューニングや再生速度の変更、音声ブーストの調整が可能だ

1 アプリを起動して 新規メモを作成しよう

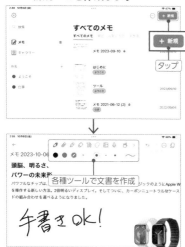

アプリを起動したら画面上部の「新規」ボタンをタップ。新規メモが作成されるので、上部の各種ツールを使って文書を作成していこう。

2 録音しながら メモしてみよう

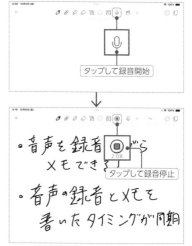

音声を録音したいときは、メモ画面の上部にあるマイクボタンをタップ。あとは、録音しながらテキストや手書きなどでメモを取っていこう。録音を停止するには、画面上部の停止ボタンをタップ。

3 メモ内で音声を 録音&再生する

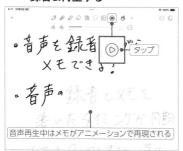

録音したメモを開き、上部の再生ボタンをタップすると再生が開始される。音声再生時にはメモ全体が一旦薄い色になり、カラオケの字幕のように、メモを取ったタイミングで色が元に戻っていく。また、メモ自体をタップすると、音声の再生位置もそのタイミングにジャンプ可能だ。

4 メモスイッチャーで 2つのメモを表示

Notabilityには、アプリ内でメモを2つ同時に表示できる機能がある。画面左端から右にスワイプして、メモスイッチャーを表示したら、表示したいメモをドラッグ&ドロップしよう。これで録音時のメモを再生しながら、他のメモでテキスト入力して清書する、といったことも可能になる。

長文を快適に入力したいなら
Bearを使おう

Markdown記法に対応した高性能エディタ

　とにかく快適に長文テキストを入力したい、という人におすすめなのが「Bear」だ。動作が軽く機能もシンプルで、長文テキストを集中して入力できるので、ブログやレポートの作成に向いている。またMarkdown記法に対応するのも特徴。Markdown記法とは、見出しや太字、箇条書きなどの書式を特定の記号で記述する方法のことで、たとえば、「*iPad*」のようにアスタリスク(*)で囲った部分は太字で表示される。慣れている人ならテキスト入力のみで素早く文章を装飾できるし、慣れていなければキーボード上部のショートカットバーをタップして簡単に装飾できるようになっている。手書き入力や画像の挿入も可能だが、あくまでも補助的な機能で、テキスト主体で利用するのがおすすめ。また、今のところAppleデバイス以外で使えず、共同編集などもできないので、iPadだけでノート作成が完結する使い方に向いたアプリだ。

テキスト入力が快適な軽量ノートアプリ

Bear
作者 Shiny Frog Ltd.
価格 無料

手書きや画像で文書を整えるよりも、テキスト主体でブログやレポートなど長文入力するのに向いたアプリ。Pro版の購入（400円／月または4,500円／年）で、iCloud同期やPDF出力などが可能になる。

> 余計な機能がなく集中してテキスト入力できる

1 アプリを起動して画面を切り替えよう

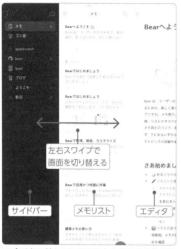

アプリを切り替えたら、画面を左右にスワイプしてみよう。サイドバーやメモリスト、エディタ画面の表示を切り替えることができる。

2 メモを新規作成してテキストを入力しよう

メモリストの一番下にあるペンの絵柄のボタンをタップし、新規メモを作成。あとはエディタ画面でテキストを入力していこう。テキストの保存は自動で行われる。

3 テキストに見出しを付けてみよう

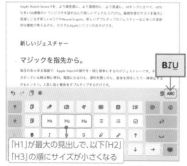

キーボード上部の「BIU」ボタンをタップすると、さまざまなツールが配置されたキーボードに切り替わる。見出しにしたい行の先頭にカーソルを合わせ、「H1」「H2」「H3」ボタンでフォントの大きい見出しに設定できる。

見出しに設定した行の先頭にはヘッダーのマークが表示される。これをタップして、メニューから「見出し」をタップすると、他の見出しサイズ（数字が大きいほどサイズが小さくなる）に変更可能だ。

カスタムキーボードのスタイルボタンを使いこなそう

Bearのキーボード上部にあるボタンや、「BIU」ボタンをタップして表示されるカスタムキーボードで、書式の変更や画像の挿入などを行える。

画像/写真
画像や写真を挿入できる

線画
手書きの線画を描いて挿入できる

タグ
タグを設定して、メモを分類することができる

メモへのリンク
ほかのメモへのリンクを挿入できる

見出し H1
カーソル行のテキストを見出しに設定する

行区切り線
カーソル行に行区切り線を挿入する

太字 B
選択しているテキストを太字に設定する

斜体 I
選択しているテキストを斜体に設定する

下線 U
選択しているテキストに下線を付ける

打ち消し線 S
選択しているテキストに打ち消し線を付ける

リンク
WebサイトのURLを入力してリンクを挿入する

箇条書き(点)
番号なしの箇条書き書式に設定する

箇条書き(番号)
番号ありの箇条書き書式に設定する

引用
文章を引用する場合に使う書式に設定する

ToDoリスト
行頭にチェックマークを付けることができる

コード </>
文章中にコードを記述したい場合に使う

コード(複数行)
複数行のコードを記述する場合に使う

ハイライト
選択しているテキストをハイライト表示する

ファイル
ファイルアプリを開いてファイルを挿入する

現在の日付
現在の日付や時間を挿入する

脚注 A¹
選択したテキストに脚注を付ける

表
カーソル位置に表を挿入する

折りたたむ
見出しで折りたたんで本文を非表示

インデント
カーソル行のインデントを設定する

行の移動
カーソル行を上下に移動することができる

取り消し/やり直し
作業の取り消し/やり直しをボタンで実行できる

一番上/一番下に移動
ページの一番上または一番下に移動する

36

1 選択した文字の書式を太字や斜体などに変更する

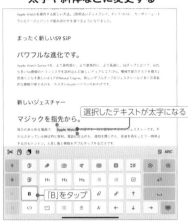

書式を変更するには、文字を選択した状態でカスタムキーボードの「B（太字）」や「i（斜体）」などのボタンをタップしよう。なお、Markdownの記号を削除すると書式も解除される。

2 箇条書きでリストを見やすくする

カスタムキーボードの箇条書きボタン（番号なしと番号ありのどちらか）をタップすれば、カーソル行を箇条書きにすることができる。項目をリスト化して見やすくしたいときに使おう。

3 インデントで文章の階層構造を作る

インデントボタンを使えば、文章に階層構造を作ることができる。インデントは箇条書きと組み合わせることも可能だ。

ほかのアプリからテキストなどを取り込む

メモアプリなどのテキストエディタ系アプリで編集していた文書を、Bear側に送りたいときは、共有ボタンからBearを選択すればいい。なお、Safariの場合は、保存画面で「Webページのコンテンツ」を選ぶことで、そのページのテキストと画像だけを抜き出すことができる。

画像や手書きの線画を挿入する

1 メモに画像を挿入する

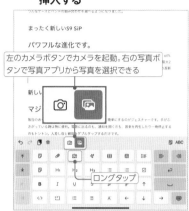

画像を挿入したい場合は、カスタムキーボードのカメラボタンをロングタップしよう。ポップアップ表示されるボタンで、カメラで撮影した写真を挿入するか、写真アプリから選択した画像を挿入するかを選択できる。

2 手書きの線画を挿入する

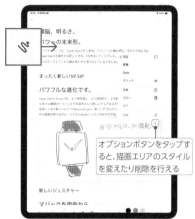

カスタムキーボードの線画ボタンをタップすると、カーソル位置に描画エリアが挿入され、マークアップツールで手書きのイラストや文字を描ける。

タグ機能でメモを分類してみよう

1 メモにタグを設定しておこう

ショートカットバーの「#」ボタンをタップすると、メモにタグを設定できる。タグは複数設定してもOK。分類しやすいようにメモごとに設定しておこう。

2 タグの付いたメモはサイドバーから呼び出せる

メモにタグを設定すると、サイドバーからアクセスできるようになる。タグをタップすると、そのタグ付きのメモがメモリストに表示される仕組みだ。

38

1 メモの文字数や 読書時間を表示する

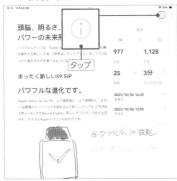

エディタ画面の右上にある「i」ボタンをタップすると、メモ全体の文字数や読書時間が表示される。ブログ記事の下書きをする際の目安にしよう。

2 ToDoリストを使って タスク管理が行える

ショートカットバーのToDoボタンを利用すれば、タスクリストをチェックマークで管理できる。ToDo付きのメモは、メモリストに進捗状況が表示される。

3 メモをピン止めして アクセスしやすくする

メモリストの項目を左にスワイプし、ピン留めボタンをタップしてみよう。そのメモがリストの一番上に固定され、アクセスしやすくなる。

4 タグにアイコンを設定して わかりやすくする

サイドバーのタグをロングタップして「タグを編集」をタップし、タグ名の左のボタンをタップすると、他の好きなアイコンに変更できる。

フォントの見た目を変更する

エディタ画面のフォントやフォントサイズを変更したい場合は、サイドバーの下にある設定ボタンをタップ。「タイポグラフィ」を選択しよう。フォントやフォントサイズのほか、行の高さや行の幅、段落間隔などを設定することができる。

メモや文章同士をリンクさせて管理する

参考資料や該当箇所をすばやく確認できるようにしよう

　作成したメモに関連するメモやテキストがある場合は、リンク機能を活用するとより分かりやすく整理できる。例えば書いた内容の参考資料として別のメモをリンクしたり、ページ内の注釈を後半にまとめた解説文にリンクしたり、ページ数が膨大になった時に目次リンクを設定しておけば、タップするだけで関連メモを素早く開いたり該当箇所に移動できる。標準メモでメモ内に他のメモへのリンクを設定できるほか、BearやGoogleドキュメント、OneNoteなどのノートアプリも使いやすいリンク機能を備えているので、ぜひ活用しよう。

標準メモやBearでメモ同士をリンクする

1 標準メモで他のメモへのリンクを設定する

テキストを選択して「リンクを追加」をタップ。リンク追加後は選択して「リンクを削除」で削除できる

リンク先のメモタイトルを入力。タイトルは一部入力すれば候補から選択できる

リンクしたいテキストをロングタップし、表示されるメニューから「リンクを追加」をタップ。「リンク先」欄にメモのタイトルを入力すると、そのメモへのリンクを設定できる。

2 Bearで他のメモへのリンクを設定する

タップ

リンク先のメモタイトルを入力。タイトルは一部入力すれば候補から選択できる

リンクを挿入したい箇所にカーソルを合わせ、「BIU」ボタン横のリンクボタンをタップ。続けてリンクしたいメモのタイトルを入力すると、そのメモへのリンクを設定できる。

1 メモの共有リンクをコピーする

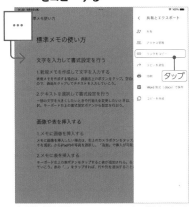

参考資料など他のメモにリンクしたい場合、リンク先のメモを開いて編集モードにし、右上の「…」→「共有とエクスポート」→「リンクをコピー」をタップ。

2 他のメモを開いてリンクを貼り付ける

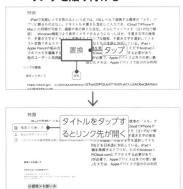

別のメモにコピーした共有リンクを貼り付け、「置換」をタップするとメモのタイトルでリンクが配置される。リンクをタップするとプレビューが表示され、タイトル部をタップするとリンク先が開く。

3 各見出しへの目次を挿入する

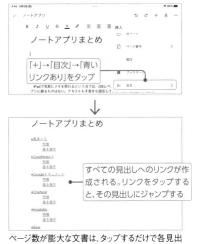

ページ数が膨大な文書は、タップするだけで各見出しにジャンプする目次ページを作成しておこう。「+」→「目次」→「青いリンクあり」をタップすると、カーソル位置にすべての見出しへのリンクが作成される。

4 特定の見出しへのリンクを貼る

テキストを選択状態にして「リンクを挿入」をタップし、「見出し」からリンク先を選択すると、その見出しへのリンクが挿入される。

定型文やクリップボードを駆使して文章作成を効率化

メールの挨拶文やよく使う文章を素早く呼び出す

　簡単な定型文であれば、iPadの標準機能「ユーザ辞書」に登録すれば簡単に呼び出して入力可能だ。ただし、登録する定型文の数が多い場合は、専用のアプリを使ったほうがいい。「フレーズキーボード」は、よく使う定型文を複数登録して、文字入力時にキーボードから呼び出すことができるアプリだ。定型文は「仕事」や「家族」などのカテゴリで分類でき、複数行の長い文章も登録することができる。取引先に送るメールの挨拶文や署名、SNSやLINEでよく入力する文章、Webサイトの登録フォーム用の住所や電話番号などを定型文として登録しておくと便利だ。なお、「セキュア」カテゴリではパスコードで定型文をロックすることが可能。個人情報が含まれる定型文は、このカテゴリ内に登録しておくことで安全に使うことができる。

キーボードから定型文を呼び出せるようになる

フレーズキーボード
作者 Daniel Soffer
価格 300円

本アプリはキーボードとして機能し、文字入力中に定型文を呼び出すことができる。どんなアプリでも定型文が使えるようになるので便利だ。メールの挨拶文やよく使う文章を登録して、テキスト入力を効率化しよう。

よく使う定型文を
登録して
すぐ入力可能

1 設定からキーボードとフルアクセスを有効にする

「設定」→「一般」→「キーボード」→「キーボード」→「新しいキーボードを追加」で「Phraseboard」をタップ。追加された「Phraseboard」をタップして、「フルアクセスを許可」をオンにしておこう。

2 アプリを起動して定型文を追加しておく

Phraseboard Keyboardのアプリを起動したら、よく使う定型文を追加しておこう。定型文はカテゴリごとに複数登録することができる。

3 キーボードから定型文を呼び出せる

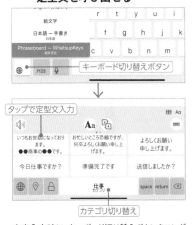

文字入力時に、キーボード切り替えボタンをロングタップ。「Phraseboard Keyboard」に切り替えれば、定型文を呼び出すことができる。

有料の拡張機能の画面が表示されたら?

アプリ起動時などに各種有料サブスクリプションサービスの案内が表示されるが、特に必要ない人は左上の「×」ボタンで閉じよう。無課金でも基本機能は使うことができる。

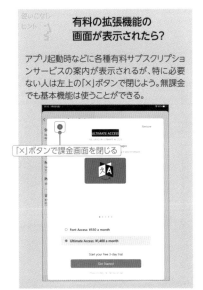

「×」ボタンで課金画面を閉じる

長文の編集、再構成には
マルチタスクを利用しよう

2つのアプリを起動してテキストをドラッグ&ドロップする

　iPadでは、複数のアプリを同時に開いて、それぞれの画面でテキストをドラッグ&ドロップして簡単にコピーできるようになっている。これを利用すれば、たとえば「Googleドキュメントで下書きした文章を、Bearで編集および再構成して整える」といった作業をスムーズに行える。また、標準メモやBearなどiPadに最適化されたアプリなら、同じアプリの同じファイルを同時に開くことも可能だ。たとえば、長い文章の後半を前半に移動させたいときに、同じファイルの後半と前半を表示させておけば、テキストをドラッグ&ドロップするだけで簡単に移動して再構成でき、編集結果は双方の画面でリアルタイムに反映される。iPadで複数のアプリを同時に開くマルチタスク機能としては、ステージマネージャやSplit View、Slide Overがあるが、基本的にはSplit Viewで画面を2分割する形がテキストを見比べやすく快適に編集できる。

Split Viewで複数のアプリを同時に起動する

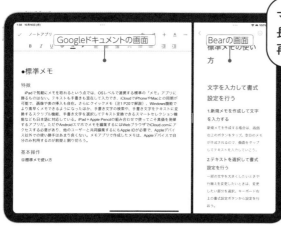

マルチタスクで
長い文章を
再編集する

Googleドキュメントの画面

Bearの画面

マルチタスク機能でノートアプリを複数開いておけば、テキストをドラッグ&ドロップでコピーでき、文章の編集や再構成を効率よく行える。基本的には画面を2分割するSplit Viewが作業しやすい。

1 Split Viewで2つのアプリを表示する

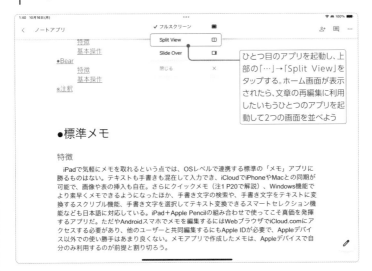

ひとつ目のアプリを起動し、上部の「…」→「Split View」をタップする。ホーム画面が表示されたら、文章の再編集に利用したいもうひとつのアプリを起動して2つの画面を並べよう

2 テキストをドラッグ&ドロップして再編集する

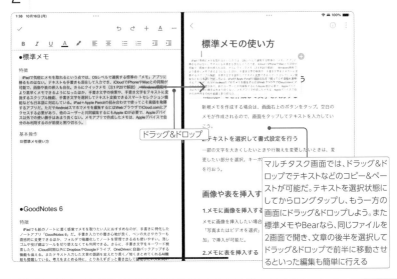

ドラッグ&ドロップ

マルチタスク画面では、ドラッグ&ドロップでテキストなどのコピー&ペーストが可能だ。テキストを選択状態にしてからロングタップし、もう一方の画面にドラッグ&ドロップしよう。また標準メモやBearなら、同じファイルを2画面で開き、文章の後半を選択してドラッグ&ドロップで前半に移動させるといった編集も簡単に行える

無限の領域に自由に書き込める フリーボードを活用する

複数ユーザーで共同編集できる標準のホワイトボードアプリ

　オンライン会議でアイデアを出し合ったり内容を詰める際に利用したいのが、iPad標準のホワイトボードアプリ「フリーボード」だ。iPhoneやiPad、Macユーザー同士であれば、作成したボードに最大100人まで同時にアクセスでき、それぞれがテキストや手書き文字、画像、音声、動画、付箋、ファイルなどを自由に書き込める。オンライン会議ではなかなか視覚的な情報を共有しづらいが、FaceTimeなどでグループ通話しながらフリーボードも共有しておけば、全員が同じ画面を確認でき会議がはかどるはずだ。他のユーザーとの共同編集以外にも、ボードサイズを無限に拡大できるためマインドマップ的な使い方にも向いている。またフローチャートを手軽に作成できる機能もあるので、作業の流れを整理したい時に活用しよう。

最大100人が書き込めるオンライン会議の必須ツール

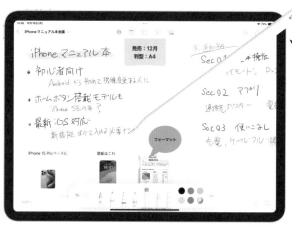

無限に
拡大して
書き込める

フリーボードアプリでは、最大100人と同じ画面を見ながら共同作業ができる。ピンチ操作で自由に拡大／縮小しながら書き込みができ、ボードには手書き文字やテキストだけでなく、付箋や図形、写真、動画、リンク、PDFなどさまざまなファイルも挿入できる。

1 新規ボードを作成する

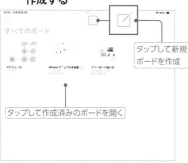

タップして新規ボードを作成

タップして作成済みのボードを開く

フリーボードを起動したら、ボード一覧から作成済みのボードを開くか、上部の新規ボードボタンをタップして新規ボードを作成しよう。サイドメニューを開くと、「共有」や「最近削除した項目」などのカテゴリが表示される。

2 ボードに手書き文字やファイルを追加する

左からマークアップ、付箋、図形、テキスト、その他の写真やファイルを追加するボタン

上部のメニューボタンで、手書き文字や付箋、図形、テキスト、画像やビデオ、リンク、PDFなどのファイルを自由に追加できる。ボードのサイズはピンチ操作で無限に拡大／縮小できる。

3 付箋や図形のカラーとサイズ変更

タップしてカラーを変更

「…」→「縦横比を固定」のチェックを外すと縦横比を自由に変更できる

付箋や図形をタップするとメニューが表示され、表示されたメニューのカラーボタンでカラーを変更できる。また四辺をドラッグしてサイズや傾きの調整が可能だ。縦横比を変更するには「…」→「縦横比を固定」のチェックを外す。

4 画像やファイルを挿入する方法

上部の画像ボタンから画像やファイルを挿入する

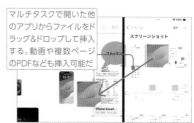

マルチタスクで開いた他のアプリからファイルをドラッグ&ドロップして挿入する。動画や複数ページのPDFなども挿入可能だ

画像やファイルは上部の画像ボタンから挿入できるほかに、マルチタスク表示にも対応しているので、ステージマネージャやSplit View、Slide Overで開いた他のアプリからドラッグ&ドロップしてファイルを挿入できる。

1 挿入されたファイルの中身を開く

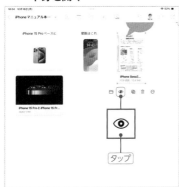

ホードに挿入された画像やファイルのプレビューをタップし、表示されたメニューで目のボタンをタップするとファイルの中身を確認できる。複数ページのPDFファイルは全ページを表示可能だ。

2 挿入されたファイルを保存する

目のボタンでファイルを開き、上部の共有ボタンから「"ファイル"に保存」をタップすると保存できる。このようにボード内のファイルは保存できるので、フリーボードをファイルのやり取りにも利用できる。

1 図形を挿入してコネクタをオンにする

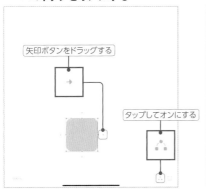

フリーボードではフローチャートも手軽に作成できる。まず図形を挿入したら、右下にある「コネクタを表示」ボタンをタップしてオンにしよう。すると図形の四辺に矢印ボタンが表示されるので、これをドラッグする。

2 次の図形を選択してフローチャートを作成

矢印ボタンをドラッグすると接続線が追加され、ドラッグを止めるとフローチャートの次の図形を選択できる。これを繰り返せばフローチャートの作成が可能だ。付箋やテキスト、写真などから接続線を引き出して作成することもできる。

1 他のユーザーと ボードを共有する

メッセージやメールで参加依頼を送る。Androidユーザーとは共有できない

他のユーザーとボードを共同編集したい場合は、上部の共有ボタンをタップしてメッセージやメールで参加依頼を送信しよう。

2 複数人で同時に 書き込める

他のメンバーが編集中の場所にはアイコンが表示される

招待を受け取った相手がリンクをタップしてフリーボードを開くと、同じボードに同時に書き込めるようになる。最大100人まで参加が可能だ。

3 他のメンバーを 追加する

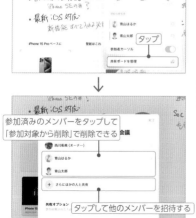

タップ

参加済みのメンバーをタップして「参加対象から削除」で削除できる

タップして他のメンバーを招待する

新しく他のメンバーを追加したい場合は、上部の共同制作ボタンから「共有ボードを管理」をタップ。続けて「さらにほかの人と共有」をタップし、招待メールやメッセージを送信すればよい。

4 参加対象と権限を 変更する

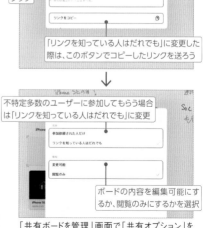

タップ

「リンクを知っている人はだれでも」に変更した際は、このボタンでコピーしたリンクを送ろう

不特定多数のユーザーに参加してもらう場合は「リンクを知っている人はだれでも」に変更

ボードの内容を編集可能にするか、閲覧のみにするかを選択

「共有ボードを管理」画面で「共有オプション」をタップし、続けて「リンクを知っている人はだれでも」に変更すると、ボードのリンクを知っている人は誰でも参加可能になる。また参加者に内容を見せるだけで編集して欲しくない場合は、権限を「閲覧のみ」に変更できる。

Pagesのスマート注釈機能で
一歩進んだ文章校正を

Pagesなら文章の校正と修正がスムーズにできる

　Appleの文書作成アプリ「Pages」では、「スマート注釈」という機能が搭載されている。この機能を使うと、文章中に手書きで注釈や指示を入れられるだけでなく、文章の変更に対して注釈の位置が常に追随するようになる。具体的にどういう機能なのかは下で詳しく解説しているのでチェックしてほしい。たとえば、通常の校正作業だと、「エディタアプリで文章作成」→「文章をPDF化して手書き対応アプリで校正」→「エディタアプリで文章を修正」といった流れになることが多い。しかし、Pagesのスマート注釈機能を使えば、校正の際にいちいちPDF化する必要もなく、校正の内容を反映させる際に別のエディタアプリを使う必要もなくなるのだ。文章作成自体は普段使っているメモアプリなどで行い、校正と修正作業に関してはPagesにテキストを移行して作業するといった使い方もオススメだ。

文章を変更しても注釈の位置が追随してくれる

1　スマート注釈機能で 手書きの注釈を入れる

Apple Pencilなどで注釈を書き込む

上図は、Pagesのスマート注釈機能を使って、手書きの注釈を加えたもの。書き終えた文章を校正したいときに使える機能だ。文章の誤字脱字などを発見したら、その部分に指示を書き込もう。

2　文章を変更すると 注釈の位置が追随する

文章をあとで修正しても……

注釈の位置が追随してくれる

スマート注釈機能が優れているのは、注釈を入れた状態で文章を修正すると、注釈の位置が文章の変更に追随してくれるという点。これにより、文章の校正と修正をひとつのアプリで完結できるのだ。

1 メモアプリの共有ボタンからPagesで開く

メモアプリで作成した内容を、Pagesに受け渡して注釈を入れることも可能だ。作成したメモを開いたら、上部の共有ボタンをタップし、続けて「Pagesで開く」をタップしよう。自動的にPagesが起動する。

2 Pagesアプリでスマート注釈を起動する

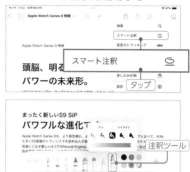

メモの内容がそのままPagesにコピーされて開かれるので、画面右上の「…」→「スマート注釈」をタップするか、Apple Pencilで画面内をタッチし、表示されたツールバーから注釈ツールを選択する。

3 手書きの注釈を書き込んでいこう

Apple Penciで(指先でも可)注釈を加えていこう。校正が終わったら、そのままPages上で校正内容に沿った修正作業も行える。注釈を消すには、タップして「削除」を選択すればよい。

スマート注釈における注釈の入れ方のコツ

す。Appleの最も革新的なテクノロでのどんなアイパッドにも似ていまのです。

赤く光った部分が注釈と関連付けられた文字

す。Appleの最も革新的なテクノロでのどんなアイパッドにも似ていまのです。

iPad

スマート注釈では、文字と注釈を関連付ける必要がある。注釈を入れた直後、文字の周りが一瞬赤くなるが、その赤い範囲が注釈と関連付けられた文字であることを示している。うまく関連付けができていないと、文字を修正したときに追随しなくなるので注意しよう。コツとしては、「文字に絡めるように打ち消し線や引き出し線を入れる」、「線や文字などは離しすぎない」、「注釈入力に時間をかけすぎない」の3つを守ればうまくいくはずだ。

文章を手書きで校正したいなら
マークアップを利用しよう

マークアップ機能で修正指示を入れてPDF化しよう

　取引先から送られてきたテキストやWebサイトのテストページなどに、手書きで修正指示を入れたい場合、マークアップ機能を使う方法もある。たとえば、テキストを校正するなら、送られてきたテキストを一旦コピーしておき、標準メモアプリの新規メモに貼り付けよう。画面上部の共有ボタンから「マークアップ」をタップすれば、Apple Pencilで直接校正を書き込むことが可能だ。マークアップで編集したデータはPDF化されるため、そのまま取引先にメール送信できる。また、Webサイトに修正指示を入れるなら、Safariで該当のWebページを開き、共有ボタンから「マークアップ」を選べばいい。WordやExcelなどのアプリも直接手書きで指示を加えることができるほか、PDFにより詳細な指示を入力したい場合は、PDF Expertの利用がおすすめだ（P144で解説）。

1 メモアプリからマークアップ機能を呼び出す

テキストを校正したい場合は、まずメモアプリを起動しよう。新規メモを作成し、校正したいテキスト全体を貼り付けておく。次に、画面上部の共有ボタンから「マークアップ」をタップする。

2 マークアップ機能で校正する

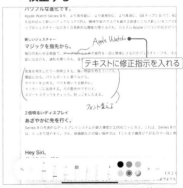

マークアップ機能が起動したらテキストを校正しよう。マークアップで編集したデータは自動でPDF化されている。あとは、「完了」でファイルに保存したり、共有ボタンからメール送信したりが可能だ。

言い換え機能が助かる
文章作成アプリ

ワンパターンの表現を避けられる

　文章を書く際、つい同じ表現や言い回しを多用しがちという人におすすめの文章作成アシストアプリが「idraft」だ。オンライン辞書「goo辞書」のノウハウを活かして開発されたアプリで、文章を入力して「言い換え」ボタンをタップするだけで、言い換えや類語がある語句をリストアップして、候補を提案してくれる。候補から選んでチェックを入れると、すぐにその語句に修正できる。また「校正」ボタンをタップすると、ら抜き言葉や間違いやすい言い回し、慣用句をチェックしてくれる。テキストを選択して「辞書」ボタンをタップすれば、国語辞典や類語辞典、英和・和英辞典などですぐに調べることも可能だ。ビジネスメールや資料の作成では、読みやすく内容がきちんと相手に伝わる文章が求められるので、このアプリを使ってしっかり推敲を重ねよう。

> 言い回しを変えて
> 読みやすい文章に

どんな山も道もトレーニングも。距離、ペース、ラップ、ケイデンス、消費カロリー、心拍数など。手首を上げるだけで測定値をチェックできます。常時計測の高度計もあるので、山道を登っている時も下っている時も、今いる地点の高度を確認できます。

音楽、Podcast、オーディオブックを楽しみながら。Apple Musicには、7,500万曲がラインナップ。手首の上から、あなたを励ます音楽を届けます3。最新のPodcastや様々なオーディオブックも揃ろい。次々と新しいワークアウトに挑戦したくなるでしょう。

×		言い換え			💬
場所	→	面所　　所	地点 ∨		
高度	→	高等　　上悠			
確認	→	確かめる			
あなた	→	お宅　　次			
励ます	→	力付ける　　引き立てる　　激励			
届け	→	送る　　送り付ける　　送り届ける			
最新	→	新しい　　真新しい　　新た　　目新しい　　新鮮			
新しい	→	真新しい　　最新　　新た　　目新しい　　新鮮			
挑戦	→	チャレンジ			
安心	→	安堵			

> タップするだけで別の
> 言い換えに変更できる

idraft by goo
作者 NTT Resonant Inc.
価格 無料

文章を入力したら、下部の「言い換え」ボタンをタップしよう。言い換えがある語句は候補が表示され、タップするとその候補に修正できる。重要なメールや資料作成の下書きに活用しよう。

ウィジェットの
正しい活用法

**iPadでは、ウィジェットをロック画面や
ホーム画面の好きな場所に配置できる。
今日の予定や天気、ニュースなど、よく見るアプリの
最新情報をホーム画面で素早く確認する
以外にも、知っておくと仕事で役立つ
ウィジェットの活用法をいくつか紹介しよう。**

ロック画面にウィジェットを
配置する

　iPadではホーム画面以外にロック画面にもウィジェットを配置可能だ。縦画面では日付エリアと時計の下のエリアにしかウィジェットを配置できないが、横画面では左一列がウィジェット欄になるので、カレンダーやリマインダーなど常に確認したい情報を大きめのウィジェットを見やすく配置しておける。

1 ロック画面を 編集モードにする

タップし、続けて
「ロック画面」をタップ

カスタマイズ

ロック画面をロングタップして編集モードにしたら、編集したい壁紙を選択して「カスタマイズ」→「ロック画面」をタップする。

2 ウィジェットを 縦画面で配置する

時計の上の日付エリアか、時計の下のエリアをタップして好きなウィジェットを配置する

縦画面では時計の上の日付エリアにひとつ、時計の下のエリアに最大4つの小型ウィジェットを配置できる。下部のウィジェット一覧から好きなものを選んで配置しよう。

3 ウィジェットを 横画面で 配置する

横画面でロック画面の編集モードにすると、時計の上の日付エリアに加えて、左一列がすべてウィジェット欄になる。縦画面に比べるとスペースに余裕があるので、対応アプリと配置可能なウィジェットサイズの種類も増える。

カレンダーは今後の予定だけでなく月カレンダーも配置できる。リマインダーウィジェットはホーム画面に配置する場合と同様に（P56で解説）、ロック画面のウィジェット上でもタスクの完了が可能だ

リマインダーはウィジェットで常に目に入るようにする

　リマインダーは常に目に入るように、ホーム画面にウィジェットを配置しておこう。すべてを配置するのではなく、「日時設定あり」で締め切りのあるタスクのみ把握するか、「フラグ付き」で自分でフラグを付けたタスクのみ表示するのがおすすめだ。実行したタスクはウィジェット上で直接完了できる。

1 リマインダーのウィジェットを追加

タップして追加

ホーム画面の空いたスペースをロングタップし、左上の「+」をタップ。「リマインダー」ウィジェットの一覧からサイズを選択して追加しよう。

2 ウィジェットを編集する

ウィジェットを編集

タップ

ホーム画面に配置したリマインダーウィジェットをロングタップし、「ウィジェットを編集」をタップする。

3 表示するリストを選択する

表示したいリストにチェック

ウィジェットに表示するリストを選択する。「日時設定あり」や「フラグ付き」のリストを表示しておくのがおすすめだ。

4 ホーム画面の1ページ目に配置

ホーム画面で重要なタスクのみ素早く確認できる。ウィジェットアプリを起動しなくても、「○」マークをタップすれば直接タスクを完了できる

リマインダーのウィジェットは、カレンダーなどと並べてホーム画面の1ページ目に配置し、いつでも目に入るようにしておこう。

メールアプリのウィジェットを
アカウントごとに表示

メールのウィジェットでは、アカウントごとの受信メールを個別に表示できる。また、サイズが同じウィジェットは重ねておくことができる(ウィジェットスタック)。複数のアカウントのメールウィジェットをスタックしておけば、上下にスワイプするだけで、それぞれのアカウントの新着メールを素早く確認できて便利だ。

1 メールウィジェットを ホーム画面に追加する

タップして追加

ホーム画面の空いたスペースをロングタップし、左上の「＋」をタップ。「メール」ウィジェットの一覧からサイズを選択して追加しよう。

2 ウィジェットに表示 するアカウントを選択

タップして表示する
メールボックスを変更

ウィジェットを編集 ①

ホーム画面に配置したメールウィジェットをロングタップし、「ウィジェットを編集」をタップ。アカウントごとの受信ボックスを表示させる。

3 複数のウィジェットを 重ねてスタック

ウィジェットをロングタップし、他の
ウィジェットにドラッグして重ねる

各アカウントの受信ボックスを表示させたウィジェットは、ロングタップして重ねておこう。同じサイズのウィジェットはスタックできる。

4 表示するアカウントを スワイプで切り替え

上下にスワイプ

スタックしたウィジェットの画面内を上下にスワイプすると、表示するアカウントを切り替えて、それぞれの新着メールを素早く確認できる。

ランチャーアプリでホーム画面を カスタマイズする

ホーム画面で表示できるアプリの数は決まっており、ウィジェットを配置するとアプリの数はさらに減ってしまう。そこで利用したいのが「Launcher」だ。ウィジェット内に大量のアプリを配置して起動できるようにするアプリで、ホーム画面の1ページ目に必要なアプリをすべてまとめておける。

> ウィジェット内の アプリをタップ して起動できる

Launcher
作者 Cromulent Labs
価格 無料

アプリを大量に配置できる

ウィジェット内に大量のアプリをまとめて配置できるランチャーアプリ。プレミアム版を購入（1,500円）すると、特大や大サイズのウィジェットを作成できるほか、アイコンサイズの変更や、アイコンラベルの非表示、複数ウィジェットを作成してスタックも可能になる。

1 ウィジェットを 新規作成する

Launcherを起動したら、各サイズの「新規追加」をタップし、「空」を選択してウィジェット名を付ける。特大や大サイズはプレミアム版が必要。

2 アプリランチャーを タップ

作成したウィジェットにアプリを追加していく。「新規追加」をタップし、続けて「アプリランチャー」をタップしよう。

3 アプリを検索して追加する

ウィジェット内に追加したいアプリをキーワード検索し、「＋」ボタンをタップして追加。これを繰り返してアプリを追加していく。

4 機能を選択できるアプリの場合

X（旧Twitter）など一部のアプリは、ポストなどの機能も割り当てられるが、アプリを起動するだけで良いなら「アプリを開く」の「＋」をタップ。

5 追加したいアプリが見つからない場合

検索してもアプリが見つからないときは、検索欄下のタブを「App Store」に切り替えるとヒットするので、アプリ名をタップ。

6 アプリの起動ショートカットを作成して追加

右上のチェックボタンをタップし、「インポート」→「ショートカットを追加」をタップすると起動ショートカットがLauncherのウィジェットに追加される。

7 作成したウィジェットをホーム画面に配置する

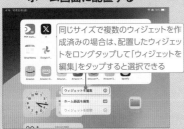

必要なアプリをすべて追加したらアプリを閉じてよい。あとはウィジェットの追加画面でLauncherをタップしサイズを選ぶとホーム画面に配置できる。

8 ロック画面にもアプリを大量に配置できる

Launcherはロック画面ウィジェット（P55で解説）にも対応する。「ロック画面ウィジェット」サイズの「新規追加」からアプリを追加しておこう。

よく使う資料やマニュアルなどの PDFをホーム画面に配置

「PDF Expert」などのアプリに搭載されているウィ ジェットを使えば、よく使うPDFをホーム画面に配置し ておける。いつでもすぐに参照できるよう、進行中のプ ロジェクトの資料やマニュアルを表示しておこう。

PDF Expert
作者 Readdle
Technologies Limited
価格 無料

1 よく使うPDFを お気に入りに登録

ドラッグ＆ドロップ でお気に入りに登録

まずはPDF Expertに資料やマニュアルなどよく 使うPDFを取り込んでおく。また、ホーム画面で 表示したいPDFはお気に入りに登録しておこう。

2 PDF Expertの ウィジェットを設定する

次にホーム画面にPDF Expertのウィジェットを配 置する。ウイジェットにはいくつか種類があるが、こ こでは「お気に入り」のウィジェットを使う。

3 PDF一覧が 表示される

ホーム画面でPDF をすぐ参照できる

PDF以外のさまざまな形式 のファイルを扱いたい場合 は、標準の「ファイル」アプリ のウィジェットを利用しよう

これでお気に入りに登録してあ るPDFがホーム画面に一覧表 示される。各PDFをタップすれ ば、PDF Expertが起動してす ぐPDFが表示される。

文字入力の
の仕事技

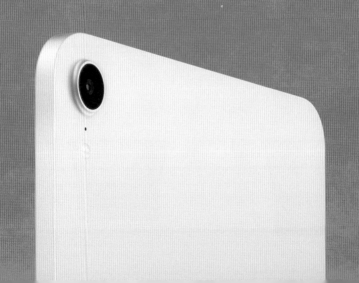

長文入力も苦にならない
専用キーボードを使ってみよう

自分のiPadで使えるキーボードを選ぼう

　iPadは画面が広い分、ソフトウェアキーボードも大きくて見やすいが、画面の半分近くが隠れてしまうし、平置きでの文字入力は疲れやすく長文入力に向いてない。iPadでの書類作成やメール作業が多いなら、外部キーボードを使った方が効率的に入力できる。Apple純正のiPad専用キーボードとしては、下で紹介する4種類が用意されている。専用に設計されたキーボードなので、電源もペアリングも不要で使え、マグネットで簡単に着脱できるなど、使い勝手は折り紙付きだ。それぞれのモデルで機能が違うだけでなく、対応するiPadの機種も違うので、自分のiPadに合ったモデルを選ぼう。また同じキーボードでも、iPadのサイズ違いによって対応製品が異なる。購入時にはよく確認しよう。

iPad専用キーボードの種類

Magic Keyboard
対応モデル
iPad Air
（第4世代以降）
12.9インチiPad Pro
（第3世代以降）
11インチiPad Pro
価格
44,800円、
53,800円（税込）

Magic Keyboard Folio
対応モデル
iPad（第10世代）
価格
38,800円（税込）

Smart Keyboard Folio
対応モデル
iPad Air
（第4世代以降）
12.9インチiPad Pro
（第3世代以降）
11インチiPad Pro
価格
27,800円、
32,800円（税込）

Smart Keyboard
対応モデル
iPad（第7〜第9世代）
iPad Air（第3世代）
10.5インチiPad Pro
価格
24,800円（税込）

iPad用Magic Keyboardの特徴

トラックパッド付きキーボードの便利な点は、iPadの画面をタッチ操作したい時に、いちいちキーボードから手を離さずに済むところ。トラックパッドに手を置くと画面上にカーソルが表示され、これをドラッグして画面をタップできるので、iPadの操作が手元で完結する。また複数の指を使えば、ロングタップメニューを表示したり、ホーム画面に戻ったり、アプリを切り替えることも可能だ

角度は最大130度まで調整できる

少し浮いた状態でiPadを接続し、無段階で最大130度まで傾きを調整できる。またヒンジ部には、iPad充電専用のUSB Type-C端子を搭載する。

トラックパッドやバックライトを搭載

キーボード下部にはトラックパッドが搭載されており、トラックパッドに対応したiPadOSでの作業がはかどる。またバックライトを内蔵するほか、キーストロークも1mmあって打ちやすい。

表面と背面を守る保護カバーにもなる

表面と背面を保護するカバーにもなる。ただしSmart Keyboard Folioのように、付けたままでキーボード部を背面に折り畳んで使うことはできない。

iPad専用キーボードに共通する便利な機能

1 ペアリング不要の ワンタッチ着脱

両方の端子を合わせるだけ

Bluetoothキーボードと違って、iPad専用キーボードはペアリングも電源も不要となっている。iPadの本体にある小さなコネクタを、iPad専用キーボードのコネクタとマグネットで吸着するだけで利用できる。

2 豊富なショート カットが便利

「command + C」を押してコピー

iPadでも、「Command」や「Control」、「Option」キーを使えるのは大きな魅力だ。これらのキーを使ったキーボードショートカットを覚えておけば、テキスト入力時などの作業効率が格段にアップするはずだ。ショートカットについてはP66で詳しく解説している。

3 ロックの解除も スマート

カバーを開くだけで ロックを解除できる

Face ID対応のiPadで使っているなら、ロック解除も非常にスマート。カバーを開くか、何かキーを押すとスリープから復帰し、そのままFace IDによりすぐロックが解除される。さらに何かキーを押すだけでホーム画面が開く。

4 ソフトウェア キーボードも使える

タップ

アクセント記号付きの文字を入力したい場合などは、ソフトウェアキーボードを使ったほうが便利。外部キーボード使用中に表示されるメニューバーのキーボード切り替えボタンをタップし、「キーボードを表示」をタップして表示しよう。

ここまで紹介したように、Apple純正のiPad専用キーボードは非常に洗練された製品だが、いかんせん高価。特にトラックパッド付きのMagic Keyboardは4万円以上もする。また、古いモデルのiPadにはそもそも対応していない。もっと手頃な価格でiPad向けのキーボードを使いたいなら、サードパーティー製のiPad対応キーボードに目を向けてみよう。Bluetooth接続で、Magic Keyboardの対応モデル以外でもトラックパッドを使えるサンワダイレクトの製品は、4,000円以下と価格もお手頃。また、トラックパッドが不要なら、軽量でコンパクトなAnkerのBluetoothキーボードがオススメだ。これらを利用する場合は、別途スタンドの購入も検討しよう。

サードパーティー製のiPad向けおすすめキーボード

Magic Keyboard非対応のiPadでもトラックパッドを使いたい場合は、お手頃価格で気軽に試しやすいこのBluetoothキーボードがおすすめ。3台の機器をワンタッチで切り替えできる、マルチペアリング機能も搭載している。

**サンワダイレクト
タッチパッド付きBluetooth
キーボード 400-SKB066**
実勢価格 3,980円（税込）

**Anker
ウルトラスリム
Bluetooth ワイヤレス
キーボード**
実税価格 2,000円（税込）

iPadOS、iOS、Android、Mac、Windowsとマルチデバイスに対応する、軽量コンパクトなキーボード。ただしUSキーボードなので、日本語キーボードとは少しキー配列が違う点に注意しよう。

仕事効率をアップする
専用キーボードのショートカット

iPad専用キーボードをもっと便利に使いこなそう

　せっかくiPad専用キーボードを使うなら、ショートカットキーも使いこなして仕事の能率アップを図りたい。「command + C」でコピーしたり、「command + V」でペーストするといった、パソコンでも定番のショートカットキーに加えて、「⊕（地球儀キー）+ H」でホーム画面へ移動するなど、iPadならではのショートカットキーを利用できる。ステージマネージャやSplit View、Slide Overなどの操作、Safariやメールなど主要なアプリにも、それぞれ個別のショートカットキーが割り当てられているが、これらをすべて覚えておく必要はない。⊕（地球儀キー）を長押しすればシステム全体のショートカットキーが一覧表示され、commandキーを長押しすれば起動中のアプリのショートカットキーが一覧表示される。操作に迷ったら、とりあえずこの2つのキーを長押ししてみよう。

⊕（地球儀キー）を長押しする

iPad専用キーボードの地球儀キーを長押しすると、システム全体のショートカットキーが一覧表示され、各操作に割り当てられたキーをすぐに確認できる。

commandキーを長押しする

アプリを起動した状態で、iPad専用キーボードのcommandキーを長押しすると、このアプリで使えるショートカットキーが表示される。

代表的なキーボードショートカットを覚えておこう

システム

ショートカット	動作
⊕ + H	ホーム画面へ移動
command + 空白	検索
command + Tab	アプリを切り替える
⊕ + A	Dockを表示
Shift + ⊕ + A	アプリライブラリを表示
⊕ + Q	クイックメモ
⊕ + S	Siri
⊕ + C	コントロールセンター
⊕ + N	通知センター

Safari

ショートカット	動作
command + T	新規タブ
Shift + command + N	新規プライベートタブ
command + W	タブを閉じる
command + F	ページを検索
Shift + command + L	サイドバーを非表示
command + R	ページを再読み込み
Shift + command + T	最後に閉じたタブを開く

メール

ショートカット	動作
command + N	新規メッセージ
option + command + F	メールボックスを検索
control + command + A	メッセージをアーカイブ
command + R	返信
Shift + command + R	全員に返信
Shift + command + F	転送
Shift + command + L	フラグ

マルチタスク

ショートカット	動作
⊕ + ↑	アプリスイッチャー
⊕ + ↓	すべてのウインドウを表示
⊕ + ←	前のアプリ
⊕ + →	次のアプリ

ステージマネージャ

ショートカット	動作
⊕ + F	フルスクリーンにする
control + ⊕ + ↑	別のウインドウを追加
command + M	最小化
⊕ + @	ステージにある次のウインドウ
command + @	次のアプリウインドウ

Split View

ショートカット	動作
control + ⊕ + ←	ウインドウを左側にタイル表示
control + ⊕ + →	ウインドウを右側にタイル表示

Slide Over

ショートカット	動作
option + ⊕ + ←	左のSlide Overに移動
option + ⊕ + →	左のSlide Overへ移動

※ステージマネージャがオンのときはステージマネージャのショートカットキーを、オフのときはSplit ViewやSlide Overのショートカットキーを使用できる。表示中のアプリや画面によっても、使用できるショートカットキーは異なる。

覚えておくと便利な
文字入力の機能と操作

iPadの文字入力を快適にするためのテクニック

iPadのソフトウェアキーボードでは、パソコンのようにショートカットキーを使って操作を短縮することはできない。代わりに、面倒な操作を簡単に行えるようになる、さまざまな便利機能が用意されている。例えば、テキストの誤変換はいちいち削除してから入力し直さなくても、選択するだけで他の候補に再変換できる。カーソルの位置をうまく合わせられなくてイライラしている人は、カーソルを拡大すれば、好きな位置にスムーズに移動させることができる。iPhoneのフリック入力に慣れているなら、iPadのキーボードもフリック入力モードに切り替えて使うと便利だ。これらのテクニックを知っているか知らないかで、iPadでの作業効率はずいぶん変わってくるので、ぜひ覚えておこう。

文字は確定後でも再変換できる

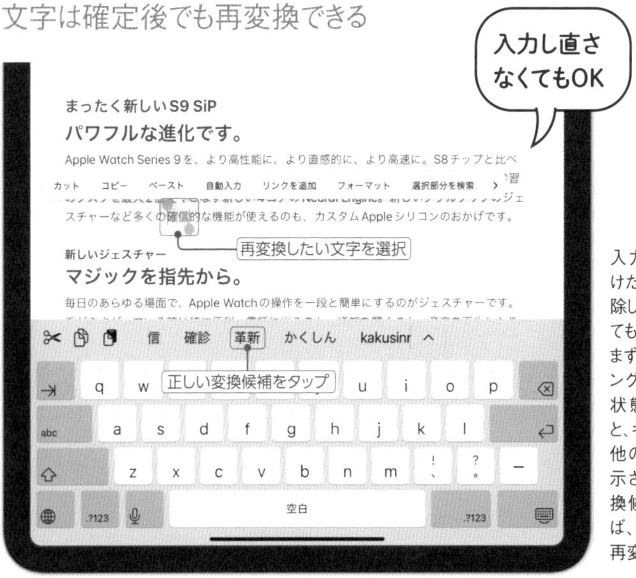

入力し直さなくてもOK

再変換したい文字を選択

正しい変換候補をタップ

入力確定後に見つけた誤字は、一度削除して入力し直さなくても再変換ができる。まず誤字の部分をロングタップして選択状態にしよう。すると、キーボード上部に他の変換候補が表示される。正しい変換候補をタップすれば、選択した文字が再変換される。

長文の途中で一度変換させる

1 変換を区切りたい箇所をタップ

区切りたい位置にカーソルを合わせる

長文を入力していておかしな変換になった時は、センテンスごとに区切って変換すればよい。まず変換を区切りたい箇所をタップしてカーソルを合わせる。

2 区切った箇所までを変換できる

カーソル位置までを変換できる

すると、タップした箇所までをひとつの文章として、変換候補が表示される。このように細かく区切って変換していけば、正しい漢字に変換できる。

日付や時刻を素早く入力する方法

1 「きょう」と入力して今日の日付に変換する

「きょう」で今日の日付を候補から入力できる

日付を入力したいときは、「きょう」や「きのう」「あした」と入力してみよう。今日や昨日の日付が変換候補に表示され、タップして素早く入力できる。

2 数字を入力して日付や時刻に変換する

「915」で9時15分や9月15日を候補から入力できる

日本語キーボードで数字を入力しても、日付や時刻に変換できる。たとえば「915」と入力すると、9時15分、9/15、9月15日などが候補に表示される。

ドラッグ&ドロップでテキストを移動、別アプリにコピー

1 | テキストを選択して ロングタップ

テキストを選択してロングタップすると、テキストが浮かび上がり、そのまま指でドラッグ&ドロップすれば、好きな位置に移動できる。メニューからカット&ペーストで操作するよりも楽だ。

2 | そのまま別のアプリ にもコピーできる

ロングタップしたテキストは、さらに別アプリにもコピーできる。他の指でホーム画面に戻り、テキストを貼り付けたい別のアプリを起動したら、貼り付けたい位置にドラッグして指を離そう。

カーソルをスイスイ動かすテクニック

1 | カーソルをロング タップして拡大する

カーソルをロングタップすると、カーソルのある位置が上部に拡大表示される。拡大表示したままカーソルを左右にドラッグできるので、挿入位置を正確に確認しながらカーソルを動かすことが可能だ。

2 | 2本指でカーソルを 高速に動かす

画面上に2本の指を置いてドラッグしても、カーソルが拡大表示されスムーズに動かせる。カーソルを直接ドラッグするより、こちらの方がより高速にカーソルを動かせるので、使い分けて操作しよう。

文章を素早く選択、編集する

1 複数回タップで文章を効率よく選択する

> 2回タップすると、タップした位置の単語が範囲選択される

文章を素早く選択したい時は、複数回タップするといい。2回タップすると、タップした位置の単語が範囲選択される。3回タップで段落全体を選択。また2本指で2回タップすると、句点（。）で区切られた文章を選択できる。

2 3本指ジェスチャーで文章を素早く編集する

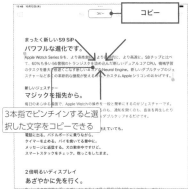

> コピー

> 3本指でピンチインすると選択した文字をコピーできる

文章を素早く編集するには、3本指ジェスチャーが便利。3本指でピンチインすると選択した文字がコピーされ、2回連続ピンチインでカットできる。また、3本指でピンチアウトすると貼り付け、左にスワイプすると取り消し、右にスワイプするとやり直し操作が可能だ。

フリック入力をiPadでも利用する

1 キーボードの画面をピンチインする

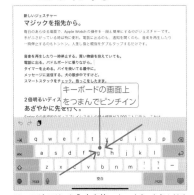

> キーボードの画面上をつまんでピンチイン

iPadでもフリック入力を使いたいなら、あらかじめ「日本語－かな」キーボードを追加した上で、キーボードの画面上をピンチインしよう。

2 「日本語かな」に切り替える

> 下部のバーをドラッグすると、キーボードを片手で操作しやすい位置に動かせる

地球儀キーをタップして「日本語かな」キーボードに切り替えると、iPhoneのようにフリック入力できるようになる。元のフルキーボードに戻すには、キーボード上でピンチアウトすればよい。

長文入力にも利用できる
高精度の音声入力機能

音声入力と同時にキーボードでも入力できる

　iPadでより素早く文字入力したいなら、ぜひ音声入力を活用してみよう。やたらと人間臭い反応を返してくれる「Siri」の性能を見れば分かる通り、これまで培われた技術によって、iPadOSの音声認識はかなり高いレベルに仕上がっている。喋った内容は即座にテキスト変換してくれるし、自分の声をうまく認識しない事もほとんどない。メッセージの簡単な返信や、ちょっとしたメモに便利なだけでなく、長文入力にも十分対応できる実用的な機能なのだ。さらに、文脈から判断して句読点が自動で入力されるほか、音声入力と同時にキーボードやApple Pencilでの入力も可能になっている（A12 Bionic以降を搭載したiPadのみ）。従来は、音声だけで同音異義語を入力したり、誤字脱字の修正や文章の再構成が難しかったが、このような編集も、音声入力中にキーボードを使ってリアルタイムで行えるのだ。慣れてしまえば、音声入力に加えて必要な箇所だけキーボードで修正するほうが、快適で高速に文章を作成できるはずだ。

iPadで音声入力を利用するには

1 | 設定で「音声入力」をオンにしておく

オンにする

まず「設定」→「一般」→「キーボード」をタップして開き、「音声入力」のスイッチをオンにしておこう。

2 | マイクボタンをタップする

タップ

キーボードにマイクボタンが表示されるようになるので、これをタップすれば、音声入力モードになる。

音声入力の画面と基本的な使い方

音声とキーボードで同時入力できる

マイクボタンをタップしてもキーボードは表示されたままで、音声入力中にキーボードも利用できる。また、句読点や疑問符は自動で入力されるが、下記にまとめている通り音声でも入力が可能だ。

句読点や記号を音声入力するには

読み		記号
かいぎょう	→	改行
たぶきー	→	スペース
てん	→	、
まる	→	。
かぎかっこ	→	「
かぎかっことじ	→	」
びっくりまーく	→	!
はてな	→	?
なかぐろ	→	・
さんてんリーダ	→	…
どっと	→	.
あっと	→	@
ころん	→	:
えんきごう	→	¥
すらっしゅ	→	/
こめじるし	→	※

自動句読点の機能を無効にする

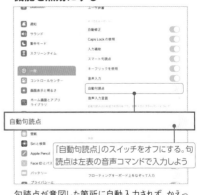

「自動句読点」のスイッチをオフにする。句読点は左表の音声コマンドで入力しよう

句読点が意図した箇所に自動入力されず、かえって修正が面倒な場合は、自動句読点の機能をオフにすることもできる。

使いこなしヒント

iPadではGoogle音声入力が使えない

iPhoneではキーボードアプリ「Gboard」を利用してGoogle音声入力も使えるのだが、iPad版では使えない。ただ、Google音声入力では音声入力と同時にキーボードを使えないし、改行などの言い回しも独特なので、どちらにしてもiPadOS標準の音声入力の方が使いやすい。

音声入力中にキーボードやApple Pencilを使う

音声で入力しつつ、必要な箇所だけキーボードで入力や修正を行おう

1
記号の入力や修正はキーボードで行う

iPadの音声認識精度は非常に高いが、特殊な記号などを音声で入力するのは少し面倒なので、キーボードを使ったほうが早い。また、同音異義語や誤字脱字、誤認識された文字なども、キーボードでさっと修正できる。

2 | Apple Pencilでスクリブル入力も可能

タップして音声入力をオン/オフ

音声入力中はキーボードだけでなく、Apple Pencilを使ったスクリブル（手書き文字が自動でテキスト化される機能）でも入力が可能だ。スクリブルツールバーのマイクボタンで、音声入力のオン/オフを切り替えできる。

3 | キーボードの同時入力は対応言語のみ

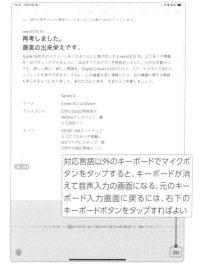

対応言語以外のキーボードでマイクボタンをタップすると、キーボードが消えて音声入力の画面になる。元のキーボード入力画面に戻るには、右下のキーボードボタンをタップすればよい

音声入力中にキーボードやApple Pencilを使うには、言語が対応している必要がある。例えば英語の場合、「英語（日本）」だとキーボードを使えないので、「英語（アメリカ）」などを追加（P75で解説）して切り替えよう。

音声入力の言語を追加する

1 | キーボードを追加しておく

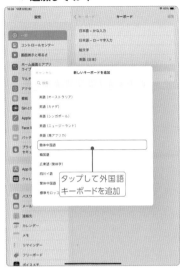

タップして外国語キーボードを追加

日本語以外の言語で音声入力したい場合は、まず「設定」→「一般」→「キーボード」→「キーボード」で、「新しいキーボードを追加」をタップし、追加したい国の言語をタップしよう。

2 | 音声入力言語を追加する

音声入力に使う言語にチェックしておく

続けて「設定」→「一般」→「キーボード」→「音声入力言語」をタップ。キーボードを追加済みで音声入力にも対応している言語が表示されるので、音声入力に使いたい言語をチェックしておこう。

使いこなしヒント

音声入力を外国語の発音チェックに使う

音声入力中に表示されるポップアップメニューで「あ」の部分をタップすると、他の言語の音声入力に切り替えできる。例えば英語に切り替えれば、英語で話しかけて英文入力が可能だ。ただし発音が正確でないと、正しい文章を入力してくれない。これを利用して、外国語の発音トレーニングに利用することもできる。

タップ

音声入力する言語を選択

音声入力中のメニューで「日本語」の部分をタップすると、他の言語での音声入力に切り替えできる。発音が正しくないと、正しい文章を入力できない。

会議や打ち合わせの記録に最適な音声記録&文字起こしアプリ

会議や授業の音声をあっという間にテキスト変換

　アプリで録音するか、あらかじめ録音済みの音声データを読み込むと、自動でテキストに変換してくれる文字起こしアプリが「CLOVA Note」だ。LINEアカウントでログインすることで無料で利用できる。会議の議事録、打ち合わせやセミナーの記録はもちろん、日々のちょっとした音声メモの管理にも最適だ。音声をテキスト化することで、聞き直したい箇所だけ素早くキーワード検索できるほか、あとから重要な箇所を探しやすいように、変換したテキストにメモやブックマークを追加しておける。また、話している人ごとに会話を分けて表示してくれる「話者分離」機能を搭載しており、複数人の会話が混在する録音でも、誰が話した内容かひと目で分かる。日本語以外に英語、韓国語にも対応し、AndroidスマホやパソコンのWebブラウザでも利用が可能だ。

キーワード検索もできる録音アプリ

> あとから録音内容を確認したり、重要な箇所を探しやすい!

LINE CLOVA Note
作者 WORKS MOBILE
　　 Japan Corp.
価格 無料

自動文字起こしアプリ。発言者の声を区別し、会話を分けてテキスト表示してくれる。利用は無料だが、音声のアップロードは月300分（AI学習のための音声データ活用に許諾すれば月600分）まで。

CLOVA Noteで音声データを文字起こしする

1 音声を録音するか 読み込む

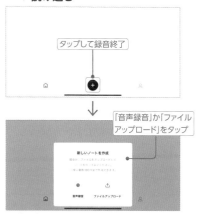

タップして録音終了

「音声録音」か「ファイル アップロード」をタップ

新しいノートを作成

● 音声録音 ↑ ファイルアップロード

アプリを起動したらLINEアカウントでログイン。下部の「＋」をタップし、マイクで録音を開始するか、すでに録音済みの音声データを選択して読み込もう。

2 アプリで録音中の 画面と操作

タップして録音終了

重要な会話はタップ してブックマークする とあとで探しやすい

録音中はこのような画面になる。左下のボタンをタップして録音を停止し、シチュエーションなどを選択すると、自動的にテキスト変換が開始される。

1 音声がテキストに 変換された

タップしてこの部分の音声を再生

テキスト変換までしばらく待とう。完了すると、発言者を認識して自動で会話ごとに表示してくれる。会話部分をタップすると音声を聞き直せる。

2 テキストの編集や メモの追加を行う

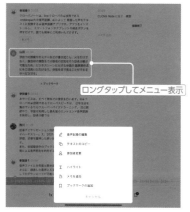

ロングタップしてメニュー表示

∠ 音声記録の編集
⊡ テキストのコピー
⊗ 参加者変更
✐ ハイライト
◻ メモを追加
◻ ブックマークの追加
キャンセル

会話をロングタップするとメニューが表示され、テキストをコピーしたり内容を修正できる。重要な箇所にメモやブックマークを追加したり、発言者の変更も可能だ。

紙の資料のテキストを
スキャンして文章中に挿入する

カメラに写った文字を自動でテキスト化

　紙でもらった資料の内容をノートアプリで整理したい時に、いちいちキーボードでテキストを入力し直すのは面倒だ。そんな時は文字入力画面のカーソルをタップし、表示されたメニューから「自動入力」→「テキストをスキャン」をタップしてみよう。ソフトウェアキーボード部がカメラの画面に変わるので、紙の資料を画面内に収めると、映っている文字を自動で認識してテキスト化し、カーソル位置に挿入してくれる。この機能は標準のメモやメール、Safariなどで利用できるほか、Goodnotes 6やBear、Googleドキュメントといった一部のノートアプリでも利用できる。機能を利用できないアプリでは、P79で解説しているように写真アプリやカメラアプリのテキスト認識表示機能を利用して、紙の資料の文字を抽出しテキストとして挿入しよう。

1 | テキストをスキャンを タップする

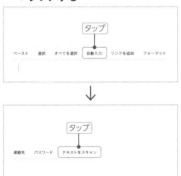

メモなどの対応アプリでカーソルをタップし、表示されたメニューから「自動入力」→「テキストをスキャン」をタップする。

2 | カメラに表示中の文字が 自動で挿入される

ソフトウェアキーボード部がカメラ画面に変わり、画面内に映った文字が認識されて自動的にカーソル位置に入力される。「入力」をタップすると入力が確定し元の画面に戻る。

写真やカメラに写った文字を
テキストとして抽出する

写り込んだ文字をコピーしたり翻訳できる

　P78の「テキストをスキャン」が使えないアプリで紙の資料の内容をまとめたい場合は、一度資料をカメラで撮影してみよう。写真アプリで撮影した資料を開くと、画面の右下にテキスト認識ボタンが表示される。これをタップすると、写真内の文字が自動的に認識され、ロングタップで選択してコピーできる。あとは好きなアプリを開いて、コピーしたテキストをペーストすればよい。撮影しなくても、カメラを向けた画面内にある文字を認識させてコピーすることも可能だ。また印刷された文字だけでなく、風景写真に映り込んだ看板の文字や、手書きで書かれた文字、動画を一時停止した画面内の文字などもコピーして利用できる。そのほか、選択した文字を他言語に翻訳したり、電話番号をタップして発信するといった操作も行える。

1 写真アプリで写真の文字を抽出する

写真アプリで写真を開き、右下のテキスト認識ボタンをタップすると、写り込んだテキストや手書き文字が認識される。テキストをロングタップして選択状態にすると、表示されるメニューでコピーやWeb検索、翻訳が可能だ。

2 カメラに写った画面の文字を抽出する

写真を撮影せずとも、書類などにiPadのカメラを向け、画面内のテキスト認識ボタンをタップするだけで、カメラに表示中の文字を認識し、コピーや翻訳が可能になる。海外で看板や商品ラベルを翻訳したい場合などに使うと便利だ。

手書き入力した文章を
即座に翻訳する
Google翻訳を使ってさまざまな言語を翻訳する

　利用するシーンは少ないかもしれないが、手書きした文字を翻訳する機能も
チェックしておきたい。iPadには、20言語に対応する翻訳アプリが標準で用意さ
れており、スクリブル機能で手書き翻訳もできるのだが、スクリブルだとペンが少し
止まった瞬間に入力されてしまうし、翻訳精度もあまり高くない。おすすめは、133
言語に対応し翻訳精度も高い「Google翻訳」だ。スクリブル入力以外に、別途
手書きモードが用意されており、文字を正確に手書き入力してから翻訳できる。な
お、手書きではなくテキストを入力して翻訳するなら、自然な訳文で評価の高い
「DeepL翻訳」（P272で解説）を利用するのがおすすめだ。

1 アプリを起動して「手書き入力」をタップ

Google 翻訳
作者 Google LLC
価格 無料

Google翻訳アプリを起動したら、下部の設定エリアで翻訳する言語を設定する。次にペンボタンをタップして手書きモードにしよう。

2 手書き文字を翻訳する

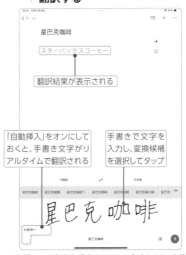

翻訳したい内容を手書きエリアに入力しよう。変換候補から文字を選んでタップすると、翻訳結果が表示される。

ChatGPTの
仕事技

iPadでChatGPTを
利用して仕事を効率化する

今話題のAIチャットサービスをiPadで使いこなそう

　「ChatGPT」は、OpenAIが開発した高性能なAIチャットサービスだ。質問や要望をテキストで入力すると、膨大な学習データから導き出した回答を自然な会話文で返してくれるのが特徴。使い方次第では、文章の要約を作成したり、企画のアイデア出しをサポートしたりといった、さまざまな作業のアシスタント役として活躍してくれる。本章では、iPadでChatGPTを使うための基礎知識や仕事の効率化に役立つテクニックをいくつか紹介していく。AIを使いこなせるかどうかは、今後仕事をする上でも重要なスキルとなっていくと予想される。ChatGPTは誰でも無料で使えるので、まだ触ったことがない人は、これを機会に試してみよう。

iPadなら外出先でも気軽にAIチャットが利用できる

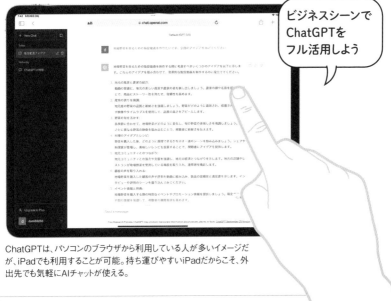

ビジネスシーンで
ChatGPTを
フル活用しよう

ChatGPTは、パソコンのブラウザから利用している人が多いイメージだが、iPadでも利用することが可能。持ち運びやすいiPadだからこそ、外出先でも気軽にAIチャットが使える。

ChatGPTには、「Web版」と「アプリ版」の2種類がある。Web版は、Safariや Chromeなどのウェブブラウザを使い、ChatGPTのWebサイトにアクセスして利用する。もうひとつのアプリ版は、ChatGPTのiPad用アプリをApp Storeからインストールすることで利用が可能になる。現時点ではWeb版の方が若干使いやすいため、以降の記事ではWeb版をメインとした解説を進めていく。

Webブラウザから利用する Web版ChatGPT

ChatGPT
https://chat.openai.com/

SafariでChatGPTにアクセスする

SafariやChromeなどのWebブラウザで利用する Web版ChatGPT。上のURLにアクセスしてログインすれば使える。パソコン版のものと同じものだ。

チャット履歴が左側に表示される

Web版ChatGPTは、過去のチャット履歴や各種メニューが左側のサイドバーに表示されるため、使い勝手がいい。最新機能をいち早く使えるのもポイントだ。基本的にはこちらを利用するのがオススメ。

インストールして利用する アプリ版ChatGPT

ChatGPT
作者 OpenAI
価格 無料

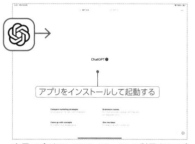

アプリをインストールして起動する

専用アプリをiPadにインストールして利用するアプリ版ChatGPT。思い立ったときに起動してすぐにチャットを開始できるのが最大のメリットだ。

チャット画面のみのシンプルな画面構成

アプリ版ChatGPTは、iPadのタッチ操作に特化したシンプルなインターフェースを採用。現時点では、ChatGPTの一部最新機能が未実装というデメリットがあるため、Web版より若干使い勝手が悪い。

　ChatGPTを利用するには、最初にChatGPTのアカウントを作っておく必要がある。アカウントは無料で作成可能だ。SafariなどのWebブラウザアプリでChatGPTのWebサイト（https://chat.openai.com/）にアクセスしたら、「Sign up」からアカウントを作成しておこう。なお、GoogleアカウントやMicrosoftアカウント、Apple IDをすでに持っている人は、いずれかを使ってアカウントを作成しておくと簡単だ。

1 ChatGPTにアクセスして「Sign up」をタップ

まずはSafariでChatGPTのサイトにアクセスしよう。すでにアカウントを持っている人は「Log in」からログインすればいい。ここでは、新規アカウントを作成するので「Sign up」をタップする。

2 アカウントを新規作成しておこう

新規アカウントは、既存のGoogleアカウントやMicrosoftアカウント、Apple IDで作成可能だ。どれも持っていない人は、メールアドレスを入力して「Continue」でアカウントを作成しておこう。

3 ChatGPTにログイン完了

新規アカウントを作成してログインすれば、左のようなチャット画面になる。なお、これはWeb版ChatGPTの画面だ。画面左側にはサイドバーが表示され、各種ボタンやメニュー、チャットの履歴などが表示される。また、画面の最下部にはチャット入力欄があり、ここに文字を入力すればチャットを開始可能だ。

ChatGPTの基本操作を覚えておこう

では、早速ChatGPTを使ってみよう。使い方は簡単。ChatGPTのチャット欄に、質問したいことを記入して送信するだけだ。すると、AIによって回答が自動生成される。一連のチャット（セッション）は履歴に残り、あとで見返すことが可能だ。

1 ChatGPTに質問してみよう

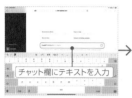

チャット欄にテキストを入力

ChatGPTに質問したいことを画面最下部のチャット欄に入力。紙飛行機マークの送信ボタンを押せば、AIによって回答が自動生成される。追加の質問がある場合は、続けてチャットしていけばいい。

たとえば「ChatGPTの特徴を挙げてください」と入力すれば、それらしい自然な回答が生成される

2 別の話題でチャットするには新しいセッションを作ろう

新しいセッションでチャットを開始する

過去のセッションは、タイトルが自動で付けられて履歴として残る。タップすれば過去のチャット内容が表示され、会話を再開できる

別の話題でチャットを開始したいときは、画面左上の「New Chat」から新しいセッション作ろう。なお、過去のセッションはサイドバー上に履歴が残る。

3 「Regenerate」で別の回答を再生成する

別のバリエーションの回答が生成される

回答が気に入らない場合は「Regenerate」をタップ。最後の質問に対して、別の回答が再生成される。「<」「>」マークで回答の切り替えも可能だ。

ChatGPTは直前のチャット内容を覚えて会話している

ChatGPTは、同じセッション内における一連のチャット内容を覚えているため、会話の流れに沿ったスムーズな対話が行える。GPT-3.5では、最大4096トークン（単語や句読点などテキストの意味的な区切りの数）まで会話を覚えることが可能だ。ただ、同じセッション内でそれ以上に長い会話を行うと会話の一部を忘れてしまうので、適切な長さで収めておくといい。

ChatGPTでは実際にどんなことができるのか?

ChatGPTは、単純にユーザーと対話できるだけでなく、具体的な指示を出せばその通りに作業してくれる。たとえば、以下のように文章を要約したり、翻訳してもらったり、アイデア出しを手伝ってもらったりなど、いろいろなことが可能だ。

1 要件を指定して文章を作成させる

> 納品が間に合わないので、謝罪メールを考えて

> 納品が間に合わない場合の謝罪メールの一例を以下に示します。具体的な状況に合わせてカスタマイズしてご利用ください。

> 拝啓、〇〇様
>
> お世話になっております。株式会社〇〇(あなたの会社名)の〇〇(あなたの名前)でございます。まず初めに、誠に申し訳ございませんが、重要なお知らせを差し上げなければなりません。
>
> 突然のご連絡となりますが **P92以降で詳しく解説**

「納品が間に合わないので、謝罪メールを考えて」などと要件を指定して、文章を考えさせてみよう。ふさわしい文章が即座に生成される。文章を考えるのが面倒なときに、これをひな形として使うといい。

2 テキストを貼り付けて短い文章で要約させる

> 次の文章を要約してください。
> Microsoft製のiPad版Officeアプリを使う最大のメリットは、ファイルの互換性を保ちやすい、という点だ。他社製のオフィスアプリでも、WordやExcelのファイル形式を開くことができるが、一部のレイアウトが崩れたり、データが表示されなかったりする。仕事で使うのであれ

> MicrosoftのiPad版Officeアプリの主な利点は、ファイルの互換性を維持しやすいことです。他社のオフィスアプリでWordやExcelのファイルを開けますが、一部のレイアウトやデータが問題を起こすことがあります。そのため、仕事で使う場合はiPad版Officeを利用することが推奨されます。iPad版OfficeはiPad向けに最適化されており、使いやすさがあります。

> ただし、iPad版Officeとハ **P96以降で詳しく解説**

「次の文章を要約してください」と入力した後、要約したいテキストを貼り付けてみよう。短い文章で要点をまとめてくれる。文字数の多い記事やWebページの文章をざっくりと理解したいときに便利だ。

3 情報検索の結果を箇条書きや表形式でまとめる

> 車の車体のタイプを表形式でまとめて

> 車の車体のタイプを表形式でまとめます。以下の表は、一般的な車体タイプとその特徴です。

車体タイプ	特徴
セダン (Sedan)	- 通常4ドアの車体で、広い室内空間があり、快適性が高い。
クーペ (Coupe)	- 通常2ドアの車体で、スポーティな外観が特徴。
ハッチバック (Hatchback)	- 後部が開くデザインで、荷物スペースが広い。
ステーションワゴン	**P98以降で詳しく解説**

とある質問に対する回答を見やすい形で出力させたい場合は、質問のあとに「箇条書きにして」や「表形式でまとめて」という指示を出すといい。回答の内容がより理解しやすくなる。

4 英語の文章を日本語に翻訳してもらう

> 次の文章を日本語に訳して
> Donald Trump is heading to Michigan to woo striking car-workers, a day after President Joe Biden turned up on the picket line in the Midwestern state - an early skirmish in the battle for the blue-collar vote ahead of next year's White House election.

> ドナルド・トランプ氏は、ミシガン州に向かい、自動車労働者のストライキに取り込もうとしています。これは、ジョー・バイデン大統領が中西部の州でのピケットラインに登場した1日後の出来事で、来年の大統領選挙前の労働者層の支持を巡る初期の戦闘となっています。
>
> 元大統領は、カリフォルニアで行われたテレビ討論会をスキップし、デトロイト近郊にある非組合の自動車部品サプライヤーでのプライム **P104以降で詳しく解説**

「次の文章を日本語に訳して」と入力した後、英文を貼り付ければ翻訳させることが可能。文章を翻訳させた上で要約を作らせたり、箇条書きから英文のメールを作成したりといった活用もできる。

5 | アプリやWebサービスの操作方法を教えてもらう

> Excelで表の行と列を入れ替えるには？

> Excelで表の行と列を入れ替えるには、以下の手順に従ってください。
>
> 1. 入れ替えたいデータを含むセル範囲を選択します。これには行と列の見出しも含めて選択することができます。
> 2. 選択したセル範囲をコピーします。〈………〉右クリック〈……〉クリックコンテキストメニュー〈……〉
>
> **P106以降で詳しく解説**

定番のアプリやWebサービスの操作方法を教えてもらうことも可能だ。ただし、大元の学習データが英語をベースとしていることが多いため、メニューやボタン名が微妙に異なっていることが多い。

6 | アイデア出しを手伝ってもらう

> 簡易的な防音ボックスのキャッチコピーを考えて

> もちろんです！防音ボックスの簡単なキャッチコピーの一例を以下に示します。
>
> 1. "静かな空間を手に入れよう。防音ボックスがあれば可能です！"
> 2. "音楽、仕事、集中力。防音ボックスがあれば、何でも

ChatGPTと対話しながらブレインストーミングを行うような使い方も可能だ。適切に指示を出せば、商品のキャッチコピーを考えてもらったり、企画のアイデアを出してもらったりできる。

ChatGPTを使う上で気を付けたいポイント

ChatGPTは、「〇〇について教えて」といった知識を求めるような使い方は向いていない。特に専門的な質問になると回答を間違いやすく、でたらめを堂々と答えてしまうことが多いのだ。検索エンジンや辞書のような使い方ではなく、指示を与えて作業させたり、何かを提示して意見を求めたりする使い方がオススメ。

● ChatGPTができないことや不得意なこと（GPT-3.5の場合）

✕ 回答の正確性を担保できない

一般的な話題であればそれなりに正しい回答が得られるが、専門性が高い話題などは回答が間違っていることが多い。自分で正誤の判断ができない話題について質問するのはオススメしない。

✕ 情報の参照元を確認できない

ChatGPTは、大量のデータを学習して膨大なデータベースを作り、それを元にして回答を行っている。しかし、回答ごとの学習データの参照元は明示されないため、情報の信頼性が確認しにくい。

✕ 最新情報を把握していない

ChatGPTが持っているデータベースは、2021年9月までのものとなっている。それ以降の新しい話題に関しては知識として持っておらず、最新の技術や動向などについては回答できない。

✕ 機密情報を入力できない

ChatGPTで質問した内容は、OpenAIの開発者に閲覧されたり、学習データとして利用されたりする可能性がある。機密情報や個人情報を含んだ質問はしないようにしよう。

GPT-3.5は外部のURLを参照できない

現時点（2023年9月末）では、GPT-3.5のチャット欄にURLを貼り付けても参照できない。Webページ内にある文章を対象する場合は、テキストをコピーしてチャット欄に直接貼り付けよう。なお、有料のPlusプランにある「Browse with Bing」であれば、URLも参照可能だ。

適切な回答を得るためのプロンプト記述方法

　ChatGPTに対して質問および指示する文章のことを「プロンプト」と呼ぶ。ChatGPTでは、短すぎる質問や漫然とした指示をすると、的外れな回答を出力することが多い。より適切な回答を得るためには、ChatGPTに何をさせたいのかを具体的に指示するのがコツだ。そこで、いろいろな用途で汎用的に使えるプロンプトの書き方を以下で紹介しておこう。

● ChatGPTに役割を与えて制約条件で精度を高めるプロンプト

命令文
あなたはプロの編集者です。以下の制約条件と入力文に従って、
最高の記事タイトルを出力してください。

制約条件
・文字数は20文字程度
・10個のタイトル案を出してください
・読者の対象は30～40歳のビジネスマン
・印象に強く残る言葉を使ってください

入力文
ここ最近、今話題になっているAIチャットサービス「ChatGPT」をはじめとする、高度なAI技術を利用したサービスやツールが次々と登場している。これらの最新AIツールは、優秀なアシスタントとして仕事の効率化に役立てたり、創作活動の刺激やヒントを与えてもらったりなど、さまざまな用途で活用することが可能だ（以下略）

ChatGPTへの指示でよく使われるプロンプトの一例。命令文、制約条件、入力文といった要素ごとに分けているのが特徴だ。「あなたはプロの編集者です」といったようにChatGPTに役割を与え、制約条件を箇条書きにすることで精度の高い返答が得られる。色付き文字の部分を変えることで、いろいろな作業に応用が可能だ。「プロのCEOライターに検索上位を狙える記事タイトルを考えてもらう」、「プロの校正者に記事の校正をお願いする」、「プロのプログラマーに目的の動作を実行するコードを出力してもらう」など、自分の用途にあわせてカスタマイズしてみよう。

● 上のプロンプトを実際に使った例

実際にこのプロンプトを使うと、ユーザーが求めている最適な回答を得られやすい。制約条件や入力文をできるだけ詳細に指定すれば、さらに精度の高い回答になるのでいろいろ試してみよう。

1 チャット欄で改行を入れるには Shift+Returnを押す

Shift+Returnキーを押すと改行

Web版ChatGPTでは、チャット欄でReturnキーを押した場合、強制的にチャットが送信されてしまう。文章の途中で改行を入れたい場合は、Shiftキーを押してからReturnキーを押すといい。なお、アプリ版では、送信ボタンを押さない限り送信されない。

2 質問の再編集や 回答のコピーができる

質問の再編集

回答のコピー

回答の評価

質問をタップして表示されるボタンで質問の再編集が可能だ。また、回答の横にあるクリップボードマークで答の内容をコピーできる。なお、親指マークでは、回答に対しての評価やフィードバックが行える。

3 回答に対して質問や指示を 追加して深掘りしていく方法

追加でどんどん指示をしていこう

ChatGPTは、一連のチャットの内容を覚えていため、回答に対してさらに質問や指示を追加できる。次々チャットを追加して、話題を深掘りしていこう。ただし、新しい話題に変えるときは新規のチャットを開始した方がよい。

4 チャットGPTから 自分に質問してもらう

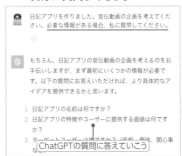

ChatGPTの質問に答えていこう

質問文の最後に「必要な情報がある場合、私に質問してください」と付け加えると、ChatGPTがユーザーに質問してくるようになる。この質問に答えていけば、より最適な回答が得られるのだ。最適なプロンプトが思い浮かばないときに使うといい。

Split Viewで他のアプリを組み合わせて使うと便利

ノートアプリやExcelなど他のアプリとChatGPTを組み合わせて使いたい場合は、Split Viewを使って、片方にChatGPT、もう片方に目的のアプリを開いておくといい。ChatGPTの回答をアプリ側にコピー&ペーストするのも簡単に行える。

現在無料で使えるChatGPTでは、「GPT-3.5」と呼ばれる言語モデルが使われている。より高性能な「GPT-4」も公開されているが、こちらは月額20ドルの有料プラン「ChatGPT Plus」で利用が可能だ。GPT-3.5とGPT-4には大きな性能差があり、GPT3.5が小学生、GPTが大学生ぐらいの知能だと言われている。また、ChatGPTが外部サイトを検索して回答できるようになる「Browse with Bing」、プラグインでさまざまな機能をChatGPTに追加できる「Plugins」など（右ページ参照）、最新機能もPlusプランのみに実装されている。ChatGPTをより深く使いこなしたいのであれば、有料プランを契約しよう。

1 「Upgrade to Plus」から支払い手続きを行う

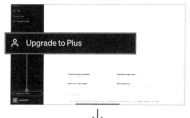

↓

このボタンから支払い手続きを進める

GPT-4が使える「ChatGPT Plus」を契約する場合は、画面左下の「Upgrade to Plus」をタップしよう。さらに「Upgrade to Plus」をクリックし、クレジットカードなどで支払い手続きを済ませておく。

2 言語モデルを「GPT-4」にして質問してみよう

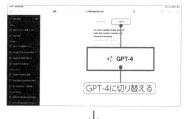

GPT-4に切り替える

↓

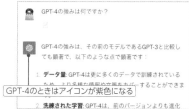

GPT-4のときはアイコンが紫色になる

ChatGPT Plusの契約後、「New Chat」で新しいセッションを作成すると「GPT-4」が選択可能だ。あとは普通に質問してみよう。GPT-3.5と比較してもより洗練された回答になることが多い。

GPT-4は3時間ごとに50件までの回数制限がある

現時点（2023年9月）において、GPT-4の利用は3時間ごとに50件までのメッセージが処理できる。これはサーバーの負荷軽減のため設けられている制限だ。通常はGPT-3.5を利用し、高度な質問や作業を行うときはGPT-4を利用するような使い分けをするといい。

GPT-4では、事前にベータ版の機能を使えるように設定しておくと、「Browse with Bing」と「Plugins」などのオプション機能が使えるようになる。

1 ベータ版の機能を使えるようにしておく

ベータ版の各機能をオンにする

画面左下のアカウント名をタップし、「Settings & Beta」→「Beta features」をタップ。表示したいベータ版の機能をオンにしておこう。すると、GPT-4のオプションとして選べるようになる。

2 実行するベータ版の機能を選ぶ

「GPT-4」の選択時にメニューが表示され、ベータ版の「Browse with Bing」、「Plugins」などのオプションが選択可能になる。なお、選択できるオプションはどれかひとつだけで、複数同時には選べない。

●ベータ版で利用できる機能について（2023年9月30日時点）

機能名	概要
Browse with Bing	Microsoftの検索エンジン「Bing」と連係することで、ChatGPTが外部サイトを参照できるようになる機能。学習データにはない最新情報を取得し、最近のニュースやイベントなどの情報にも答えられるようになる。
Advanced data analysis	ChatGPT上でPythonコードを実行できる機能。プログラミングの知識がなくても、会話による指示のみでプログラムを生成することが可能だ。
Plugins	サードパーティ製のプラグインをChatGPTに組み込んで実行できる機能。PDFを読み込んだり、URLを参照したりといった機能を追加可能だ。

GPT-4で使えるベータ版の機能は上の3つだ。なお、Plusプランではこれ以外にも「Custom instructions」という機能が使えるのもポイント。これは、ChatGPTがどう回答するかの設定や条件をあらかじめ登録しておける機能だ。これにより毎回同じようなプロンプトを入力しなくて済むようになる。

ChatGPTのAPIキーを発行すると他のアプリで連携できる

ChatGPTを外部アプリを連係させる場合、ChatGPTの「APIキー」が必要になることがある。APIキーは、「OpenAI platform（https://platform.openai.com/）」の公式サイトで、支払い方法を登録すれば発行可能だ。なお、ChatGPTのAPIは、使った分だけ料金がかかる従量課金制となる。GPT-3.5の場合1000トークン（日本語1文字＝1〜3トークン）あたり0.002ドルだ。なお、ChatGPT Plusの有料版ユーザーでもAPI利用料金は別途発生する。

ChatGPTを使って
文章を素早く作成する
要件を指定すればスピーディに文章が作れる

　ChatGPTは言葉の扱いに長けているため、「指示した内容で文章を作らせる」といった作業も得意だ。どういう文章を作りたいかをプロンプトで細かく指示することで、自社のブログ記事やフォーマルな謝罪文、X(旧Twitter)への投稿文など、さまざまな文章を作成してくれる。文章の構成やアイデア、自分では思い付かないような表現を何度でも考えてくれるため、優秀なアシスタントとして働いてくれるのだ。とはいえ、ChatGPTで生成した文章にはまだまだ不自然な表現や間違いも含まれるため、人の手による修正および加筆は必須。それでも、出力された文章を下地にすれば、ゼロから文章を考えるより圧倒的に効率がよく、表現力の高い文章が書ける。本記事では、実際にChatGPTを使った文章作成の具体例をいくつか紹介していくので、ぜひ参考にしてほしい。

文章作成をChatGPTにサポートしてもらおう

ChatGPTは
文章の下地作りに
も最適だ！

文章をゼロから考えるのは、なかなか労力のいる作業だ。そこで、文章の下地作りをChatGPTに任せてしまう。出力された文章を元にして仕上げれば、効率良く文章を作成できる。iPadであれば、外に持ち出して好きな場所で気軽に作業できる点も魅力だ。

ChatGPTに文章を書かせる簡単な方法は、書きたい内容を箇条書きでまとめ
ておき、「箇条書きから文章にしてください」と命令することだ。一般的な話題であ
れば、これだけで自然な文章を書かせることができる。制約条件として、文章の文
字数や文体、対象とする想定読者などを同時に指定しておくとさらに良い。

●箇条書きで文章を作成するプロンプトの例

命令文
あなたは、[プロのライター]です。以下の
制約条件に従い、入力文以下に書かれた
箇条書きを[ブログ記事用]の文章にして
ください。

制約条件
・記事のテーマは「ChatGPTで文章を書
　く方法」にする
・文章は1000文字程度
・文体は口語体(です、ます調)
・読者は30〜40代のビジネスマンを想
　定

入力文
・ChatGPTで文章を書くと仕事の効率
　化につながる
・書きたい内容を箇条書きにして「文章に
　してください」と命令するだけ
・文章の制約条件も付けるとより目的の
　形に近くなる
・ChatGPTによる文章生成の具体的な
　活用例を3つ挙げる(以下略)

プロンプトの例

→

ChatGPTで文章を書く方法

ChatGPTは、近年注目されているAIテクノロジーの一つで、文章を簡
単かつ効率的に生成する手段として、ビジネスマンにとって非常に
便利なツールです。本記事では、ChatGPTを使って文章を書く方法
について解説します。30〜40代のビジネスマンの皆さんに向けて、
効果的な活用法をご紹介します。

1. ChatGPTでの文章生成とは

ChatGPTは、人工知能が自然言語処理を駆使して、ユーザーが入力
したテキストに対して簡潔かつ適切な文章を生成する技術です。これ
を活用することで、仕事の効率化が図れます。具体的には、以下の
ステップで使い方を紹介します。

2. 書きたい内容を箇条書きにする

まず、書きたい内容を箇条書きにしてください。たとえば、プレゼン
テーション資料の作成やレポートの執筆など、どのような文章を必
要としているかをリストアップしましょう。具体的なポイントやキー
ワードを考えることが大切です。

ChatGPTでの文章生成の具体的な活用例

ChatGPTを使った文章生成は、さまざまな場面で役立ちます。以下
に、具体的な活用例を3つ挙げてみましょう。

1. プレゼンテーション資料の作成

プレゼンテーション資料を作成する際、ChatGPTを活用すること
で、プレゼン資料の概要や要点をまとめた文章を簡単に生成できま
す。これにより、プレゼンの準備時間を短縮し、質の高い資料を作
成できます。

2. 新商品の紹介文の作成

新商品を市場に導入する際、商品の特徴や魅力を伝える紹介文を作
成する必要があります。ChatGPTを使えば、商品の特長を的確に表
現した文章を迅速に生成できます。

3. 顧客へのメール文の作成

顧客に対するメール文を書く際、丁寧かつ効果的なコミュニケーショ

このボタンをタップして
回答をコピーし、ノートア
プリなどにペーストしよう
作成することができます。

GPTを利用することで、顧客に適切な情

ChatGPTを活用することで、文章の作成が簡単かつ効率的になり、
上のタスクを効果的にこなすことができます。書きたい内
書きにし、ChatGPTに指示を与えることで、目的の文章を
成できます。ぜひ、日常の業務においてChatGPTを活用
な仕事の進行をサポートしましょう。

ChatGPTの回答

上は、P88で紹介したプロンプトを応用し、箇条書き
からブログ記事用の文章を生成させるプロンプト
だ。一般的な話題であれば、これだけで自然な文章
が作れる。もちろん、一部文章の手直しや正誤
チェックは必要だが、ブログ記事のたたき台としては
十分に使えるクオリティだ。「ChatGPTによる文章
生成の具体的な活用例」といった、下調べが必要
な内容もChatGPTに考えてもらえるので便利。

　会社のお客様やクライアントに謝罪文を書くのがどうも苦手……。そんな人にもChatGPTが役に立つ。謝罪したい内容を箇条書きで書いて制約条件などを指定すれば、それらしい謝罪文を生成してくれる。あとは修正加筆して仕上げていこう。「AIに謝罪文を作らせるなんてけしからん」と思う人もいそうだが、従来も例文集を参考に謝罪文を書くことが多く、単に使うツールが変わっただけとも言える。謝罪というのはとにかく迅速な対応が大事。ChatGPTを活用してスピーディに謝罪文を作成して送信できれば、相手の心証も良くなるはずだ。

● 会社の謝罪文を生成するプロンプトの例

命令文
あなたは、ある企業の広報部社員です。
以下の詳細および制約条件を元に、謝罪
文を作ってください。

詳細
・弊社の新商品「ぱくぱく饅頭」を一時的
　に販売休止する
・「ぱくぱく饅頭」が弊社の販売予想をは
　るかに超え、一部材料の調達が間に合
　わなくなったため
・現在量産体制を見直している。販売再
　開ができるようになったら、改めて弊社
　ホームページでお知らせする

制約条件
・謝罪の対象は弊社のお客様
・弊社ホームページで公開する文章にする
・フォーマルな表現で簡潔な文章にする
・「申し訳ございません」「お詫び」などの
　謝罪の表現は何度も繰り返さない

プロンプトの例

お知らせ

新商品「ぱくぱく饅頭」をご愛顧いただき、誠にありがとうございます。

このたび、予想をはるかに超える多くのお客様からのご注文に対応するため、一時的に「ぱくぱく饅頭」の販売を休止させていただくこととなりました。材料の調達において一時的な遅れが発生し、お客様に十分な品質を提供できない状況となりましたこと、深くお詫び申し上げます。

現在、弊社は量産体制の見直しを行っており、品質と供給の向上に努めております。誠に申し訳ございませんが、販売再開の具体的な日程についてはお知らせすることができませんが、販売再開が可能となりました際には、弊社ホームページにてご案内させていただきます。

今後もお客様にご満足いただける商品を提供できるよう、努力してまいります。何卒ご理解賜りますようお願い申し上げます。

株式会社[企業名]広報部より

10/10
ChatGPTの回答

左は、企業がホームページで掲載するような謝罪文を生成するためのプロンプトだ。右はChatGPTが実際に生成した謝罪文となる。言い回しが不自然なところもいくつかあるので、これをベースにして書き換えていこう。

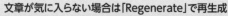

言いこなし
ヒント

文章が気に入らない場合は「Regenerate」で再生成

生成された文章が気に入らない場合は、何度か「Regenerate」ボタンをタップして再生成してみよう。文章のテーマは同じだが、バリエーションが違うものをいくつでも作ることができる。それでも気に入らない場合は、プロンプトの制約条件などを見直すといい。

X(旧Twitter)の投稿文を140文字以内で考えてもらう

　プロンプトを工夫すれば、X(旧Twitter)の投稿文も140文字以内で考えてもらうことが可能だ。さらに、バズらせるための改善点もChatGPTに提案してもらおう。最初はプロンプトの作成に時間がかかるが、最適なプロンプトのひな形を作ってしまえば、あとは与える情報を変えるだけで、さまざまな投稿に応用が可能だ。

● Xの投稿文を生成するプロンプトの例

命令文
以下の詳細および制約条件を元に、
Twitterの投稿文を作ってください。

詳細
・イベント「iPadの仕事活用術」を紹介したい
・このイベントでは、仕事の効率が向上するiPadのアプリや経営者が実際に使っている使いこなし術が聞ける
・「今まで時間がかかっていた作業がiPadによって解決する」といった魅力的なワードを入れる

制約条件
・文字数は全角文字で140文字以内
・URLリンク(https://xxxxxxx/)を含める
・ターゲットは20〜30代のビジネスマン
・炎上リスクを避け、バズらせるような文章にする

あなたが生成した文章をバズらせるため、
私ができる改善点も挙げてください。

プロンプトの例

「iPadの仕事活用術」イベントがやってきます！　仕事の効率向上の秘訣、iPadのアプリや経営者の使いこなし術が満載です。今まで時間がかかっていた作業もiPadでスムーズに解決できるかも！詳細はこちら☞ **https://xxxxxxx/** #iPad活用術 #ビジネスハック

改善点:

1. エモーショナルなキャッチコピーを追加し、読者の関心を引きつけましょう。例えば、「仕事がラクになるiPadの秘密を解き放つ！」など。
2. ハッシュタグを活用して、関連するキーワードにリンクさせて話題性を高めましょう。例えば、#仕事効率化 #iPad活用 #ビジネススキル向上 など。
3. イベントの日時や場所、参加費用などの詳細情報を追加すると、興味を持った読者が詳細を確認しやすくなります。
4. ターゲット層に合ったトーンで、20〜30代のビジネスマンに向けたメッセージを強調しましょう。例えば、「ビジネスのプロフェッショナルに向けた特別なイベント」といった表現を考えてみてください。
5. イベントの魅力を具体的に示すために、成功事例や実際の利用事例を挙げることで説得力を高めましょう。

ChatGPTの回答

Xの投稿文をChatGPTに作らせた例。必要な詳細や制約条件を与えれば、140文字以内でうまく収めてくれる。また、生成した文章に改善点を求めておくと、いくつかアドバイスを述べてくれる。これを参考にしつつ、プロンプト内の情報をさらに改善していけば、自分の用途にあった文章が出力されるようになる。

使いこなしヒント

ChatGPTで文章を作成する際の注意点

ChatGPTの書く文章は、ありきたりかつ当たり障りのない内容になりやすい。ビジネス用のフォーマルな文章であればそれほど問題にならないが、ブログ記事やXの投稿文など読み手を楽しませる独創的な文章を作るには工夫が必要だ。読者の興味を惹かせる魅力的な情報をできるだけプロンプトで与えておき、楽しげな文章表現にするように指示するなど、いろいろと試行錯誤してみよう。また、専門的な内容を書かせる場合は、でたらめな話や間違った情報が含まれやすい。その場合も、より具体的な情報をプロンプトで与えるようにしたい。

ChatGPTで文章を
わかりやすく要約する
読むのに時間のかかる長文も簡潔にまとめてくれる

　ChatGPTは、長い文章を要約することも得意だ。プロンプトも簡単で、「以下の文章を要約してください」と命令して、要約したいテキストを貼り付けるだけ。これにより、ChatGPTは長い文章に目を通して、意味を理解し、要約を一瞬で作ってくれる。プロンプトの記述を一部変えれば、要約の文字数を指定したり、要約を箇条書きにしたりすることも可能だ。よりわかりやすい形で出力されるように工夫するといい。長文のニュースや記事の概要をさっと理解したいときや、レポートや論文、議事録などの内容を短くまとめたいときなどに活用すると便利だ。

文字数を指定して要約を作ってみよう

次の文章を200文字程度に
要約してください。

2023年9月26日
macOS Sonoma、本日提供開始
MacBook Pro、27インチiMac、
MacBook Airに表示されたmacOS
Sonoma。
macOS Sonomaでは、ウィジェットに
よりパーソナライズの方法がさらに増え、
Safariとビデオ会議が大幅にアップデートされるほか……(以下略)

プロンプトの例

→

 2023年9月26日、macOS Sonomaが提供開始されました。このアップデートでは、MacBook Pro、27インチiMac、MacBook Airなどのデバイスに導入され、パーソナライズが向上し、Safariとビデオ会議が大幅にアップデートされ、ゲーム体験が最適化されています。ウィジェットがデスクトップ上に配置可能で、ユーザーは直接ウィジェットからさまざまなタスクを実行できます。新しいスクリーンセーバーは美しい場所のスローモーションビデオを提供し、ビデオ会議はプレゼンターオーバーレイやリアクション機能を備えて生産性を高めます。Safariではプロファイル切り替えとプライベートブラウズが強化され、ゲーム体験も向上。その他にもメモ、パスワード共有、メッセージ、リマインダー、キーボード、画面共有などの新機能も追加されました。macOS Sonomaは無料のソフトウェアアップデートとして提供され、Macの体験を大幅に向上させます。

‹ 3/3

ChatGPTの回答

ChatGPTに「次の文章を200文字程度に要約してください」と指示し、要約したい文章を貼り付けよう。指定した文字数で文章を要約してくれる。長文のニュースや記事のテキストを使って実際に試してみよう。

 使いこなしヒント

GPT-4ならURLを直接指定して要約できる

有料のPlusプランで使える「Browse with Bing」であれば、「以下のページの内容を要約してください」と指示してURLを貼り付ければ、ChatGPTがそのページを参照し、直接要約を作ってくれるので便利だ。ただし、サイトによっては参照できないこともある。

要約を箇条書きにして理解しやすくする

次の文章を箇条書きで要約してください。

2023年9月26日
macOS Sonoma、本日提供開始
MacBook Pro、27インチiMac、
MacBook Airに表示されたmacOS
Sonoma。
macOS Sonomaでは、ウィジェットに
よりパーソナライズの方法がさらに増え、
Safariとビデオ会議が大幅にアップデー
トされるほか、最適化されたゲーム体験
が実現し……（以下略）

プロンプトの例

→

* 2023年9月26日、macOS Sonomaが提供開始。
* macOS Sonomaでは、ウィジェットがデスクトップに配置でき、インタラクティブに操作可能。
* 新しい美しいスクリーンセーバーも導入。
* ビデオ会議機能が強化され、プレゼンテーションやリアクションなどが追加される。
* Safariのブラウズ体験が向上し、プライベートブラウズやプロファイルの切り替えが可能。
* ゲーム体験も向上し、MacBook Proにおいて高性能なゲームが実行可能。
* その他、メモ、パスワード、メッセージ、リマインダー、キーボード、画面共有などの機能がアップデート。
* macOS Sonomaは無料のソフトウェアアップデートとして提供され、一部の機能は利用可能性が異なる。詳細はapple.com/jp/macos/sonomaを参照。

ChatGPTの回答

「次の文章を箇条書きで要約してください」と指示すると、文書のポイントとなる内容を箇条書きでまとめてくれる。文章の内容によっては、こちらの方がさっと概要を理解できるはずだ。

要約を2つ出力してその違いを説明してもらう

次の文章の重要なポイントを要約してください。要約は2つ作成し、それらの要約の違いも説明してください。

2023年9月26日
macOS Sonoma、本日提供開始
MacBook Pro、27インチiMac、
MacBook Airに表示されたmacOS
Sonoma。
macOS Sonomaでは、ウィジェットに
よりパーソナライズの方法がさらに増え、
Safariとビデオ会議が大幅にアップデー
トされるほか、最適化されたゲーム体験
が実現し……（以下略）

プロンプトの例

→

要約1:
2023年9月26日、macOS Sonomaが提供開始されました。このアップデートでは、ウィジェットのパーソナライズが向上し、Safariとビデオ会議の機能が大幅にアップデートされ、ゲーム体験が最適化されました。また、美しいスクリーンセーバーや他の機能も導入され、Macの体験が向上しました。

要約2:
macOS Sonomaが提供開始され、ウィジェットのパーソナライズ、Safariとビデオ会議の大幅なアップデート、最適化されたゲーム体験が含まれています。また、美しいスクリーンセーバーなどの新機能も導入され、Macの体験が向上しました。さらに、パスワードの共有、メッセージ、リマインダー、キーボード、画面共有などの追加アップデートも提供されました。

要約の違い:
要約1はmacOS Sonomaのリリースと主要な特徴に焦点を当て、要約2は主要な特徴の詳細に加えて追加の機能も紹介しています。要約1は簡潔で総合的な情報を提供し、要約2はより詳細な情報を提供しています。

ChatGPTの回答

ChatGPTに重要なポイントに絞った要約を2つ出力させて、その違いを説明させるといった使い方も可能。より自分の好みに近い要約を選ぶことができる。

使いこなしヒント

ChatGPTの出力が目的の形になるようにリクエストしよう

ChatGPTに要約を出力させる際、プロンプトの書き方次第でさまざまな形に出力できる。「要点を3つだけ挙げる」、「A4用紙に納まる文字数にまとめる」、「重要なキーワードだけをピックアップする」など、自分好みの形で出力されるようにリクエストしておこう。

ChatGPTの回答を表形式で出力させる

Excelでも利用できるような表が簡単に作れる

　ChatGPTの回答は表形式で出力させることが可能だ。下の画像のように、「日本の都道府県で人口が多い順に5つ挙げ、以下の項目で表形式にまとめてください」と指示すれば、人口が多い都道府県のランキング表を作成してくれる。データや数値は表にした方がわかりやすくなるので、積極的に利用してみよう。また、プレゼンテーションの構成案や文章のアウトライン、企画のアイデアなど、階層化しやすいテキストも表形式で出力させるとわかりやすくなる。さらに、Excelから表をコピー&ペーストしてChatGPTにデータを加工してもらうことも可能だ。たとえば、氏名が入力されているセルを「名字」と「名前」の2つのセルに分割したり、氏名にフリガナを振ってもらったりなど、手動だと面倒な作業も一瞬で行える。もちろん、ChatGPTに出力してもらった表は、Excelに取り込むことが可能だ。

ChatGPTの回答を表形式にしてわかりやすくする

日本の都道府県で人口が多い順に10個挙げ、以下の項目で表形式にまとめてください。

・順位／都道府県名／人口／県庁所在地／名産品

プロンプトの例

左のプロンプトのように、表に載せたい項目や順番を具体的に指示しておけば、その通りの表で出力してくれる。複数項目の数値やデータを比較したいときに便利だ。

↓

以下は、日本の都道府県で人口が多い順に10個の都道府県を表形式にまとめたものです。ただし、人口データは2021年のものであり、最新情報ではないことに注意してください。

順位	都道府県名	人口（2021年）	県庁所在地	名産品
1	東京都	13,960,236	東京	鰻、寿司
2	神奈川県	9,327,982	横浜	神奈川いちご
3	大阪府	8,837,092	大阪	たこ焼き、お好み焼き
4	愛知県	7,552,873	名古屋	みかん
5	千葉県	6,278,060	千葉	カキ、ナマコ
6	兵庫県	5,555,982	神戸	たこ、神戸ビーフ
7	北海道	5,281,159	札幌	ズワイガニ
8	福岡県	5,107,614	福岡	もつ鍋、明太子
9	静岡県	3,701,144	静岡	お茶、みかん
10	埼玉県	7,363,941	さいたま	ほうと

ChatGPTの回答

回答が表にならないときは?

「表形式にまとめてください」と指示しても、回答が表形式にならないことがある。その場合は、表形式の回答が生成されるまで、「Regenerate」ボタンで回答を再生成させるか、新たに「表形式にしてください」と命令するといい。それでもうまくいかない場合は、指示の仕方を色々変えてみよう。

ChatGPTの基本的な使い方をスライド形式で解説したいです。その構成案を考え、以下の項目で表形式にまとめてください。

・**番号:** スライド番号。スライドは5つ以内に収める

・**タイトル:** 該当するスライドの内容を端的に表す

・**内容:** そのスライドで解説すべき内容を箇条書きで3つ以上挙げる

`プロンプトの例`

`ChatGPTの回答`

上は、プレゼンテーションの構成案を表形式で回答してもらった例だ。このように、データや数値だけでなく、スライドや文章の構成案、企画のアイデアなども表でまとめることができる。

以下の文章に登場する製品名とメーカー、価格、それぞれの製品特徴を表にまとめてください。

SEQUENTIALのProphet-5（588,500円）は、2020年10月に再発売され、49鍵を持つシンセサイザーです。ヴィンテージサウンドとユーザーフレンドリーなインターフェイスで賞賛され、オリジナルのProphet-5のサウンドを再現しながらも、USB、MIDI、プリセットストレージ機能を備えた現代の信頼性を提供し（以下略）

`プロンプトの例`

文章から要点を抽出して表にまとめることも可能だ。自社製品の紹介記事から製品の比較表を作ったり、レポートから章ごとにポイントをまとめたりといった作業もすぐにできる。

`ChatGPTの回答`

以下の表に、各製品の情報をまとめました。

製品名	メーカー	価格	特徴
SEQUENTIAL Prophet-5	SEQUENTIAL	588,500 円	- 2020年10月に再発売されたシンセサイザー。 - 49鍵のキーボードを備える。 - ヴィンテージサウンドと使いやすいインターフェイスで評価される。 - オリジナルのProphet-5のサウンドを再現しながら、USB、MIDI、プリセットストレージ機能など現代の信頼性を提供。
Oberheim OB-X8	Oberheim	799,800 円	- 温かく豊かなサウンドで高く評価される。 - 強力な合成機能を提供。
Moog Matriarch	Moog	348,000 円	- 2020年4月に公開された49鍵のシンセサイザー。 - サウンドデザインの機能とクラシックなMoogシンセの特徴で賞賛される。 - パラフォニックな演奏性、ステレオアナログディレイ、256ステップのシーケンサーを備える。 - 90のモジュラーパッチポイントを持ち、サウンドデザイナーと愛好者に向けた強力なツール。
IK Multimedia UNO Synth PRO X	IK Multimedia	85,800 円	- 電子音楽のジャンルで賞賛される。 - 3つの波形変換オシレーター、24モードのデュアルフィルター、深い変調オプションを特徴とする。 - 80以上のパラメーターのオートメーションを備えたシーケンサー。 - フルサイズのキーボードモデルとキャ...

1 加工したい元の表データをコピーしておく

ChatGPTでは、表のデータの加工を指示することもできる。まずは、Excelなどから加工したい表データを範囲選択してコピーしておこう。

2 ChatGPTに貼り付けて表にしてもらう

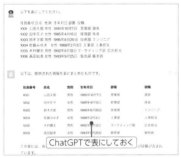

「以下を表にしてください」と指示し、コピーした表データをテキストで貼り付けよう。すると、ChatGPTの回答に表が改めて生成される。

3 生成された表を元に加工の内容を指示する

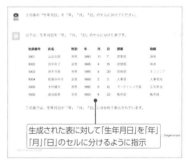

あとは、「上の表を〇〇して」といったように、その表に対して加工したい内容を指示するだけ。ここでは、「生年月日」を「年」「月」「日」に分けてみた。

4 複雑な加工も指示すればやってくれる

加工した表に対しても指示を続けられる。左の画像は、「氏名」を「名字」と「名前」に分けて、フリガナを入れるように指示した例だ。また、「部署」と「役所」の列も削除させている。このように、Excelで手作業すると面倒な作業も、ChatGPTに指示することで素早く実行が可能だ。

1 回答内の表を範囲選択してコピーしよう

表の内容を範囲選択してコピー

ChatGPTで生成された表をExcelで利用したい場合は、そのままコピー&ペーストすればOKだ。まずは回答内の表を範囲選択してコピーする。

2 Excelにそのまま貼り付ければOK

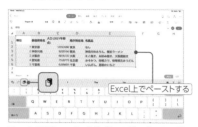

Excel上でペーストする

Excelで新規ファイルを作成して、貼り付けたい場所にカーソルを移動。そのままペーストすれば、表の形を保ったまま貼り付けられる。

1 CSV形式で出力して「Copy code」をタップ

クリップボードにコピーする

Copy code

大きい表だと範囲選択が難しくなるので、CSV形式で出力するのがオススメ。ChatGPTに「CSV形式で出力してください」と指示すれば、CSV形式のテキストが出力される。CSVファイルとして直接保存することはできないが、「Copy code」でクリップボードにコピーが可能だ。

2 コピーしたテキストをCSVファイルとして保存する

「CSVReader」での例。右上の「+」から「テキスト入力」を選び、コピーしたテキストをインポートする

クリップボードにコピーしたテキストを他のアプリで扱いたいときは、「CSVReader」などのアプリでインポートしてCSVファイルに変換し、クラウドストレージ上に保存しておこう。

3 Numbersで開く

CSVファイルをiPad版のExcelで開くと、文字化けしてしまうことが多い。その場合は、一旦Appleの表計算アプリ「Numbers」で開いて調整してからExcelファイルとして出力しよう。

CSVファイルをNumbersで開く

順位	都道府県名	人口	県庁所在地	名産品
1	東京都	13942856	東京	もんじゃ焼き、寿司、東京ばなな
2	神奈川県	9179838	横浜	横浜ラーメン、さんま、横浜カレー
3	大阪府	8839469	大阪	たこ焼き、お好み焼き、くいだおれ
4	愛知県	7552405	名古屋	味噌カツ、てんむす、味噌煮込みうどん
5	埼玉県	7305430	さいたま	ふじみ野のいちご、川越おこわ
6	千葉県	6222666	千葉	房総のアンコウ、房総のイチゴ
7	兵庫県	5526538	神戸	神戸牛、姫路城、灘の酒
8	福岡県	5115167	福岡	博多ラーメン、もつ鍋、明太子
9	北海道	5381733	札幌	ジンギスカン、海鮮丼、ラーメン
10	静岡県	3700305	静岡	うなぎの蒲焼、緑茶、ふじのり
11	茨城県	2969771	水戸	水戸黄門漬、霞ヶ浦のうなぎ
12	広島県	2838420	広島	お好み焼き、もみじ饅頭、厳島神社
13	京都府	2587465	京都	京都雅石料理、抹茶、伏見稲荷大社
14	宮城県	2333899	仙台	牛タン、ずんだ餅、松島湾
15	新潟県	2316116	新潟	新潟のへぎそば、佐渡金魚、新潟コシヒカリ

表形式のひな形や ダミーデータを出力する

システム開発で役立つダミーデータを一瞬で作成

ChatGPTを使えば、表形式のひな形やダミーデータを手軽に作ることができる。たとえば、「会員番号（8桁の数字）、氏名、年齢、性別、郵便番号、住所のダミーデータを10個作り、表にして出力してください」と指示すれば、指示通りの表のひな形を作り、好きな数だけダミーデータを作ってくれる。また、どのようなダミーデータを生成させるも細かく指示することが可能だ。従来、システム開発などで必要になるダミーデータの作成は手間のかかる作業だった。しかし、ChatGPTを使えば仕様に適したダミーデータを素早く的確に作れてしまうのだ。

氏名や住所などのダミーデータを簡単に作成できる

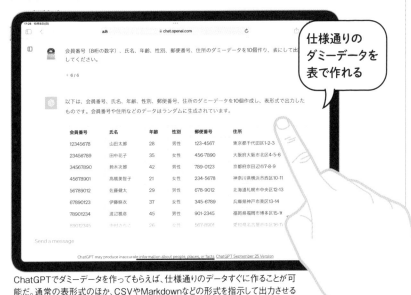

仕様通りの
ダミーデータを
表で作れる

ChatGPTでダミーデータを作ってもらえば、仕様通りのデータすぐに作ることが可能だ。通常の表形式のほか、CSVやMarkdownなどの形式を指示して出力させることもできる。自分が使いやすい形式で出力させてみよう。

ダミーデータの項目ごとに仕様を細かく指定する

> スマートフォンの商品比較に適したダミーデータを、以下の項目を満たしつつ、表形式で出力してください。
>
> ・OS(AndroidもしくはiOS)／メーカー／機種名／価格(日本円で税込表記)／発売日(2022年から2023年まで)／評価(最小は★、最大は★★★★★)
>
> プロンプトの例

↓

 以下は、スマートフォンの商品比較を行うためのダミーデータを作成した表です。各スマートフォンにはランダムな値が割り当てられており、実際のデータではありません。

OS	メーカー	機種名	価格 (税込)	発売日	評価
Android	Samsung	Galaxy S21	89,800円	2022年1月	★★★★
iOS	Apple	iPhone 13 Pro	109,800円	2022年9月	★★★★★
Android	Xiaomi	Mi 11	49,800円	2021年12月	★★★
iOS	Apple	iPhone 13	79,800円	2022年9月	★★★★
Android	Google	Pixel 6	79,900円	2022年10月	★★★★

ChatGPTの回答

ダミーデータの各項目をどう出力するかの仕様を細かく指定することも可能だ。たとえば、最大5つ星で製品評価を行いたい場合、上のプロンプトのように「評価(最小は★、最大は★★★★★)」などと指示すればいい。

Webサイトや雑誌デザイン用のダミーテキストも作れる

> スマートフォンの商品レビューサイトに適したダミーテキスト10個を、以下の項目を満たしつつ、表形式で出力してください。
>
> ・見出し(全角25文字以内)／本文(全角500文字以内)
>
> プロンプトの例

Webサイトや雑誌デザインなどで使うダミー用のテキストも簡単に生成可能だ。テキストのテーマと文字数を指定すれば、それらしい内容のダミーテキストをすぐ作ってくれる。

↓

 以下は、スマートフォンの商品レビューサイトに適したダミーテキストの一例です。見出しと本文が含まれており、それぞれ全角25文字以内と500文字以内の制限内で生成されています。

見出し	本文
Galaxy S22は最異の選択です！	Galaxy S22は性能、デザイン、カメラ、全てが素晴らしいです。スクリーンは美しく、高解像度で色鮮やかです。パフォーマンスも抜群で、アプリの起動もサクサク、カメラは驚くべき写真を撮影できます。バッテリーも長持ちし、1日中使っても安心です。最高のスマートフォンだと思います。
iPhone 13 Mini はコンパクト	iPhone 13 Miniはコンパクトなサイズで、持ち運びに便利です。ディスプレイは小さいですが、それでも高品質で見やすいです。カメラも素晴らしく、写真を撮るのが楽しいです。性能も十分で、アプリの動作は滑らかです。バッテリーは一日中持ちますが、大容量ユーザーには少し不足かもしれません。
Xperia 5 IIIはプロ仕様のカメラ	Xperia 5 IIIのカメラ性能は驚異的です。プロ仕様のカメラアプリで多彩な撮影モードを楽しめます。画質は非常に高く、暗い場所でもクリアな写真が撮れます。パフォーマンスも高水準で、ゲームや多重タスクも快適です。デザインも洗練されており、持ち運びにも適しています。
iPhone SEはコ	iPhone SEはコストパフォーマンスに優れています。手頃な価

ChatGPTの回答

ChatGPTを
翻訳に利用する

さまざまな用途に応じた翻訳作業が行える

　ChatGPTは文章を翻訳することも可能だ。「次の文章を日本語に翻訳してください」と命令し、訳したい英文を入力すれば、すぐさま日本語に翻訳してくれる。ChatGPTが特に優れているのは、訳した文章をさらに要約したり、日本語で箇条書きしたテキストから英文メールを作ってもらったりといった、翻訳だけではない複雑な作業を指示できることだ。この点が他の翻訳サービスでは実現できない大きな魅力となっている。なお、肝心の翻訳の質は、人気のAI翻訳サービス「DeepL」と比較すると、訳文が直訳気味だったり、若干ぎこちない部分があったりする印象だ。とはいえ、誤訳が多いわけではなく、言い回しなどを多少修正すれば業務でも十分に実用できるクオリティと言えるだろう。ここでは、ChatGPTを使った翻訳作業の例をいくつか紹介していくので、興味のある人はぜひ試してみてほしい。

英文を日本語に訳してさらに要約してもらう

以下の文章を日本語で簡潔に要約してください。その後に全文の日本語訳を出してください。

The bus broke through a barrier and plunged near railway tracks in the district of Mestre, which is connected to Venice by a bridge.

Among the dead are five Ukrainians, one German and the Italian driver, city prefect Michele Di Bari said.
(以下略)

プロンプトの例

→

 要約：
バスがバリアを突破し、ヴェニスと橋でつながるメストレ地区の鉄道トラック近くに転落しました。事故で5人のウクライナ人、1人のドイツ人、そしてイタリアの運転手が亡くなりました。バスはヴェニスと近くのマルゲラ地区のキャンプ場を結ぶために借りられたものと考えられています。事故は夕方に起き、バスがガスで動いており、電線に落ちて火事が発生したとの報告もあります。少なくとも18人が負傷し、うち5人が重傷です。

全文の日本語訳：
バスはバリアを突破し、ヴェニスと橋でつながるメストレ地区の鉄道トラック近くに転落しました。市の行政代表であるミケーレ・ディ・バーリ氏によれば、亡くなった人々の中には5人のウクライナ人、1人のドイツ人、そしてイタリアの運転手が含まれています。ヴェネツィア市長のルイジ・ブルニャーロ氏は、"巨大な悲劇"が発生したと述べました。彼はソーシャルメディアで"黙示録のような光景、言葉がありません"と述べました。

このバスは、ヴェニスと近くのマル **ChatGPTの回答**

ChatGPTでは、単に文章を翻訳させるだけでなく、翻訳した文章をどのような形で出力するかが命令できる。たとえば、英文を日本語訳にして、その要約と全文を並記させることも可能だ。

日本語の箇条書きからビジネス用の英文メールを作成する

次の箇条書きで書いた要件を英文のビジネスメールして訳してください。英文は丁寧な表現にしてください。

・次回のオンラインミーティングは10月9日の10時から始めることになった。
・このメールに添付した資料にスケジュールの案を記載したので、確認して。
・製品紹介の動画については弊社で撮影する。

プロンプトの例

→

Subject: Next Online Meeting and Schedule Confirmation

Dear [Recipient's Name],

I hope this message finds you well. I wanted to inform you that our upcoming online meeting is scheduled to commence at 10:00 AM on October 9th.

Additionally, I have attached a document to this email that outlines the proposed schedule. Kindly take a moment to review it at your earliest convenience.

Regarding the product presentation video, I wanted to confirm that we will be handling the recording in-house.

If you have any questions or require further information, please do not hesitate to reach out. We look forward to a productive meeting on the 9th.

Thank you for your attention to these details.

Best regards,

[Your Name]

ChatGPTの回答

英文のビジネスメールはChatGPTを使うことで短時間で書き上げられる。たとえば、上のようなプロンプトを使えば、相手に伝えたい用件を日本語で羅列するだけで、それらしい英文に翻訳してくれるのだ。「丁寧な表現にしてください」や「フレンドリーな表現にしてください」など付け加えることで、文章のテンションも調節できる。

原文と訳文を比較して誤訳部分がないか添削させる

次の原文と訳文を比較して、訳文が間違っている部分があれば、その場所となぜ間違っているかを指摘してください。そのあと、より良い訳に修正してください。

原文:
The iPad is a brand of iOS and iPadOS-based tablet computers that are developed by Apple Inc., first introduced on January 27, 2010. The iPad range consists of the original iPad lineup and the flagship products iPad Mini, iPad Air, and iPad Pro.

訳文:
iPad は、Apple Inc. が開発したiOSおよび iPadOSベースのタブレット コンピュータのブランドで、2010年1月27日に初めて発表されました。iPadシリーズは、オリジナルのiPadラインナップと主力製品であるiPad Mini、iPad Air、iPadで構成されています。

プロンプトの例

→

原文と訳文を比較して、訳文にいくつかの間違いがあります。

1. "iPad range consists of the original iPad lineup and the flagship products iPad Mini, iPad Air, and iPad Pro." の部分で、訳文の "プロ" の部分が原文の "Pro" を正確に反映していません。正確な翻訳は "iPad ミニ、iPad エア、および iPad Pro という主力製品から成る" です。
2. 訳文の "プロ" の前にカンマがありますが、原文にはありません。カンマは不要です。

修正された訳文:

"iPad は、Apple Inc. が開発した iOS および iPadOS ベースのタブレット コンピュータのブランドで、2010 年 1 月 27 日に初めて発表されました。iPad シリーズは、オリジナルの iPad ラインナップと主力製品である iPad Mini、iPad Air、iPad Pro から成り立っています。"

👍 👎

ChatGPTの回答

左のようなプロンプトを使って、原文と訳文を比較させてみよう。すると、ChatGPTが誤訳がないか調べておかしい部分を指摘してくれる。ちなみに、この例ではGoogle翻訳の結果を比較して、誤訳部分を指摘させている。ChatGPTは、こういった誤訳チェックの用途でも利用可能だ。

ChatGPTにアプリの
操作法を教えてもらう

知りたい機能や操作はChatGPTに聞いてみよう

　従来、アプリの操作方法を調べる場合は、マニュアルを調べたり、解説サイトを検索したりといったことが必要だった。しかし、アプリの機能名や専門用語すら知らない初心者にとって、目的の情報をピンポイントで見つけ出すのはなかなか難しい作業だ。そんなときは、ChatGPTにアプリの操作方法を聞いてしまおう。「○○するとエラーが出てうまく行かない」といったトラブルの症状、「この作業をもっと簡単にできないの?」といった要望をそのまま伝えるだけで、解決法を示してくれる。ただし、ChatGPTは2021年9月以降の最新情報を知らないため、最新のアプリについては回答できなかったり、回答が間違っていたりするので注意しよう。

アプリ操作のお悩みや要望を伝えるだけで解決法がわかる

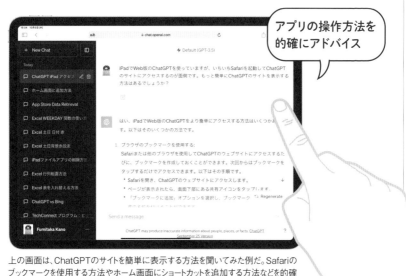

> アプリの操作方法を
> 的確にアドバイス

上の画面は、ChatGPTのサイトを簡単に表示する方法を聞いてみた例だ。Safariのブックマークを使用する方法やホーム画面にショートカットを追加する方法などを的確に提案してくれた。定番のアプリであれば、たいていの操作方法は教えてくれる。

Excelの関数「WEEKDAY」の使い方を
実例を交えながら教えてください。

→

ChatGPTの回答

プロンプトの例

Excelの使い方について聞くことも可能だ。ここで
は関数の使い方について聞いてみた。「実例を交
えながら教えてください」と指示すれば、実際の使
用例をいくつか挙げてくれるので、チュートリアル本
を読んでいるような感覚で勉強できる。情報が間
違っていることもあるので鵜呑みにはできないが、
最初のとっかかりとしては参考になるはずだ。

以下の動作を実現させるExcelのVBAマ
クロを教えてください。

・AppStoreのURLを入力すると、そのア
プリのアイコンとアプリ名、価格を取得
して各セルにまとめてくれる

→

ChatGPTの回答

プロンプトの例

ChatGPTは、ExcelのVBAマクロについても情報
を持っているため、「以下の動作を実現させる
ExcelのVBAマクロを教えてください」といった指
示に対しては、実際のコード例を表示してくれる。た
だ、そのままだと動作しないこともある。そんな場合
は、ChatGPTに「ここでエラーが出るのはなぜ?」な
どと相談しながらコードを改善していくといい。

最新のアプリについては「Browse with Bing」で調べるのがオススメ

2021年9月以降に開発されたアプリや
アップデートされたアプリに関しては、回答
に誤情報を含んでしまうことが多い。最新
のアプリに関しての情報を知りたいのであ
れば、有料のPlusプランで使える「Browse
with Bing」を使うのがオススメだ。
「Browse with Bing」に関しては、次ペー
ジ以降で詳しく解説する。

ChatGPTは、iPadOS
17について何か聞か
れても答えられない

ChatGPTで最新情報も利用できるようにする

「Browse with Bing」のWebブラウジング機能を使う

　ChatGPTが回答を生成するときに参照している学習データは、2021年9月までの情報を元にしている。ChatGPTはそれ以降の新しい知識を持っていないため、明日の天気や時事問題、最新テクノロジーの動向などの質問には答えることができない。これはChatGPTの大きなデメリットだった。しかし、有料のPlusプランでのみ使える「Browse with Bing」機能を使えば、最新の話題についても回答が可能になる。この「Browse with Bing」とは、Microsoftの検索エンジン「Bing」と連係することで、ChatGPTが他のサイトの情報を参照できるようにするWebブラウジング機能のこと。これにより、ChatGPTが持っている学習データだけでなく、インターネット上の膨大なWebサイトを情報源にして回答を生成できるようになるのだ。また、URLを指定してそのページ書かれている内容を要約したり、英語のサイトを直接翻訳したりといった指示も可能になる。なお、将来的には無料のGPT-3.5でもこのWebブラウジング機能が搭載される予定だ。

通常の回答とWebブラウジング機能での回答の違い

通常の回答

Webブラウジング機能での回答

通常のチャットで明日の天気について聞くと「私のデータは2021年9月までのものであり、現在の天気情報を提供することはできません」と断られてしまう。これはGPT-3.5でもGPT-4でも同じだ。

上はGPT-4の「Browse with Bing」機能を使えるように設定（設定方法はP91参照）してから、明日の天気について聞いてみた例。インターネット上の最新情報を検索し、それを元に回答してくれるのだ。

Appleの株価を調べて、2023年9月1日〜9月30日までの最高値を表で並べてください。

→

Finished browsing

以下は、2023年9月1日から9月30日までのAppleの株価の最高値を示す表です。この情報は、Yahoo Financeから取得されています[1]。

日付	最高値(USD)
2023/09/01	189.92
2023/09/05	189.98
2023/09/06	188.85
2023/09/07	178.21
2023/09/08	180.24
2023/09/11	180.30
2023/09/12	180.13

ChatGPTの回答

プロンプトの例

上は、Appleの株価データをインターネットから取得させて、一定期間の最高値を表形式で出力させるプロンプトだ。Webブラウジング機能を使えば、このような指示も手軽に行える。なお、Webブラウジング機能を使う場合、回答が生成されるまでにかなり時間を要するので、じっくり待っておこう。

以下のサイトを日本語で要約してください。

https://www.apple.com/xxxxxxxxxx
(以下略)

→

Finished browsing

ヒューストンの教育者たちは、AppleのCommunity Education Initiative (CEI)の支援を受けて、TechConnectプログラムを通じて6歳以上の子供たちにコーディングを教えています。教育者Juan Marquezは、このプログラムを通じて、教育リソースとAppleの技術を利用して、ヒューストンのヒスパニックおよびLatinxコミュニティの子供たちに技術教育を提供しています。このプログラムは、子供たちがコミュニティの実際の問題を技術を使って解決することを奨励しています[1]。

ChatGPTの回答

プロンプトの例

チャット内にURLを入力すると、ChatGPTはそのWebページにアクセスして情報を取得してくれる。上のプロンプトのように指示すれば、英語のサイトを日本語訳で要約することも可能だ。

使いこなし
ヒント

ネット上の情報を探し出すなら「Bing」の方が適している場合も

Microsoftの「Bing」は、GPT-4による自然な言葉で対話できるAI検索エンジンだ。ChatGPTの「Browse with Bing」と同じようにWebブラウジング機能に対応しているため、AIがインターネット上の最新情報を検索して回答してくれる。ChatGPTよりも従来の検索エンジンに近い感覚で使えるのが特徴で、AIとチャットをしながら調べ物をしたいときに向いている。ChatGPTは作業を指示するときや回答の創造性を求めたいときに使い、Bingは情報検索をしたいときに使うといい。

Bingの専用アプリを導入するとiPadでも手軽に利用できる

Bing: AI&GPT-4とチャット
作者 Microsoft Corporation
価格 無料

ホーム画面やアプリ画面で ChatGPTをすぐ呼び出す

専用ショートカットをDockに配置して起動してみよう

アプリ版ChatGPTを導入すると、「ショートカット」アプリでChatGPTのショートカットを利用できるようになる。このショートカットを起動すると、ホーム画面やアプリ画面を表示したまま、画面上部にChatGPTとの簡易的な対話画面を表示することが可能だ。いつでも起動できるようにショートカットをDockに入れておこう。

アプリ版ChatGPTのショートカットをホーム画面に追加しよう

1 ショートカットアプリで ショートカットを追加する

「Ask ChatGPT」を ホーム画面に追加する

ホーム画面に追加するアイコンの色などを設定する

ショートカットアプリを起動したら「アプリのショートカット」一覧から「ChatGPT」をタップ。アプリ版ChatGPTのショートカット項目が表示されるので、「Ask ChatGPT」項目の右上にある「…」をタップして「ホーム画面に追加」をタップしよう。あとはアイコンの色などを設定して「追加」をタップ。

2 Dockにショートカットの アイコンを追加して起動する

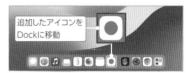

追加したアイコンを Dockに移動

するとホーム画面にChatGPTのショートカットが追加される。このアイコンをロングタップしてDockに移動しておこう。これで準備は完了だ。

入力欄に質問を入力すると ChatGPTが回答してくれる

あとは、ChatGPTを呼び出したいときにDockを表示（アプリ起動中は画面下から少し上にスワイプ）してこのアイコンをタップすれば、画面上部に入力欄が表示される。ここでChatGPTと対話が可能だ。ホーム画面でもアプリ画面でも呼び出せるので、サッと調べたいことを聞きたいときに便利。ちなみに、ここでの対話はChatGPTの履歴にも残る。なお、現時点（2023年9月末）では日本語ローマ字キーボードが使えないので注意が必要だ。

オフィス文書
の仕事技

オフィス文書を扱う際は
どのアプリを使うべきか?

用途に応じてオフィスアプリを使い分けてみよう

　iPadOSでは、MicrosoftやGoogle、Appleといった3大企業のオフィスアプリ（下記表参照）が利用できる。普段仕事でMicrosoftのOfficeを扱っている人は、基本的にMicrosoftの各種オフィスアプリを導入しておけば間違いない。ただ、用途によってはGoogleやAppleのオフィスアプリを使う方が効果的な場合もある。そこで本記事では、各アプリの特徴やそれぞれのメリット・デメリット、用途に応じたアプリの使い分け方などを簡単に紹介していこう。

iPadで扱える3大企業のオフィスアプリ

	Microsoft	Google	Apple
文書作成	Microsoft Word	Google ドキュメント	Pages
表計算	Microsoft Excel	Google スプレッドシート	Numbers
スライド作成	Microsoft PowerPoint	Google スライド	Keynote
メリット／デメリット	◎ パソコン版Officeとの互換性が高い ◎ OneDriveでファイルを同期できる × 機種によっては無料だと編集できない	◎ 誰でも無料で使え、端末の種類も問わない ◎ ファイル共有や共同作業機能は最も優秀 × 複雑なレイアウトの書類などは作りづらい	◎ iPadに最適化されているので使いやすい ◎ 見栄えのするレイアウトを作りやすい × ほかのオフィスアプリとの互換性が低い
概要	普段Microsoftのオフィスアプリを使っている人向け。OneDriveが使えるので、Windowsとの相性も良い	どんな環境でも汎用的に使えるのが魅力。複数のユーザーでファイルを共同編集したいときにも便利だ	iPadでササッと見栄えのよい書類を簡単に作れるのが特徴。Apple製品だけあって、iPadでも使いやすい

「オフィスアプリなんてどれを使っても同じ」、「Microsoft系のアプリがあれば十分」というのは大きな間違いだ。詳しくは次ページから解説していくが、それぞれの特徴を踏まえつつ、用途ごとに使い分けてみよう。

Microsoft製オフィスアプリの特徴

　WordやExcel、PowerPointのファイルを、iPadでも閲覧および編集したいという人は、Microsoft純正のアプリ（以下、iPad版Office）を使うのがベスト。GoogleやApple製のオフィスアプリだと、Microsoft Officeとの互換性が低いため、文書のレイアウトが崩れたり、表計算のデータが表示されなかったりなどのトラブルが発生しやすいからだ。なお、iPad版Officeは無料で入手可能だが、フル機能を使うには有料の「Microsoft 365」への加入が必須となる（P122で解説）。

Microsoft Word
作者 Microsoft Corporation
価格 無料

文書作成アプリとして最も有名なWord。iPad版では、マクロの実行など一部の機能を除き、パソコン版とほぼ同じ機能が使える。Officeの互換フォントが導入されるので、パソコン版と見た目が大幅に変わることも少ない。

Microsoft Excel
作者 Microsoft Corporation
価格 無料

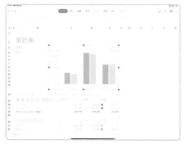

数式や関数、グラフなど、パソコン版のExcelにある主要機能はほぼ搭載。ピボットテーブルやワードアートなど一部機能は表示のみの対応となる。

Microsoft PowerPoint
作者 Microsoft Corporation
価格 無料

スライドの作成や再生を行うアプリ。企画書作成などで使っている人も多い。iPadアプリなら、互換性も高く、パソコンのファイルをそのまま開ける。

Google製オフィスアプリの特徴

　Googleドキュメントやスプレッドシートなどは、Googleアカウントさえあれば、誰でも無料で使うことができるという強みがある。また、ファイルはGoogleドライブ経由で自動で同期され、どんな端末でもシームレスに利用可能というのも特徴だ。書類を取引先と共有したり、チームメンバーと共同編集したりも簡単。AI機能で書類に最適な画像やグラフを提案してくれる「データ探索」など、他のオフィスアプリにはない先進的な機能も搭載されている。

Google ドキュメント
作者 Google LLC
価格 無料

Googleの文書作成アプリ。Wordと同じような感覚で、テキストや画像のレイアウトができる。iPad版アプリの場合、文字中心のシンプルな書類を作るのに向いている。

Google スプレッドシート
作者 Google LLC
価格 無料

表計算アプリ。Excelと同じようにグラフや関数なども扱える。チームメンバーでデータ入力や確認を共同で作業するといった用途に最適。

Googleスライド
作者 Google LLC
価格 無料

スライド作成アプリ。これに関しては、PowerPointやKeynoteのほうが便利なので、あまり使うメリットはないかもしれない。

Apple製オフィスアプリの特徴

　Apple製のオフィスアプリは、AppleがiPad用に最適化しているだけあって、最も直感的に編集作業が行える。iPadOS標準の「ファイル」アプリとの連動も完璧で、iCloud Driveや他社のクラウドサービス上にある画像をすぐに貼り付けることが可能だ（他社のオフィスアプリだと、iPad内の画像しか読み込めない）。また、レイアウトの自由度が高く、書類を見栄え良く仕上げやすいのも特徴。iPadだけで企画書やプレゼン資料をサッと作りたいなら、おすすめのアプリだ。ただし、他のオフィスアプリとの互換性が低いので、取引先とのやりとりには向かない。

Pages
作者 Apple
価格 無料

Appleの文書作成アプリ。凝ったレイアウトの書類を作りたいときに最適。写真をファイルアプリから取り込めるのも便利だ。

Numbers
作者 Apple
価格 無料

表計算アプリ。表をオブジェクトとして扱うため、自由なレイアウトができる。ただ、独特な仕様なので、ほかのアプリとの互換性は低い。

Keynote
作者 Apple
価格 無料

シンプルで使いやすいスライド作成アプリ。Apple Pencilとの相性が良く、スライド再生中に手書きメモを描画できる。

使いこなし
ヒント

各アプリでの
ファイル互換性について

GoogleおよびApple製のオフィスアプリで作成したファイルは、Microsoftのオフィスファイル形式に変換することができる。ただ、変換したファイルをMicrosoftのオフィスアプリで開くと、レイアウトがずれたり、一部機能が使えなくなったりなどの問題が発生する。互換性は完璧ではないので注意しよう。

レイアウトが少しずれてしまう……

互換性重視ならiPad版のWordとExcelを使おう

取引先とオフィスファイルをやり取りするならコレ一択

　Microsoft製のiPad版Officeアプリを使う最大のメリットは、ファイルの互換性を保ちやすい、という点だ。他社製のオフィスアプリでも、WordやExcelのファイル形式を開くことができるが、一部のレイアウトが崩れたり、データが表示されなかったりする。仕事で使うのであれば、やはりファイルの互換性を保てるiPad版Officeを利用しておきたい。また、iPad版Officeは、機能や操作がiPad向けに最適化されており、パソコン版よりもシンプルで直感的に扱えるようになっているのもポイント。そこで本記事では、iPad版Officeについての基礎知識や、iPad版WordとExcelの基本的な使い方などを解説していく。

IPad版ならではの操作で快適に編集できる

ドラッグ&ドロップ
で並べ変えも
簡単！

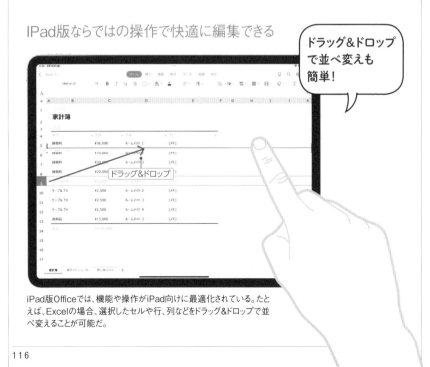

iPad版Officeでは、機能や操作がiPad向けに最適化されている。たとえば、Excelの場合、選択したセルや行、列などをドラッグ&ドロップで並べ変えることが可能だ。

iPad版では使えない機能が一部ある

iPad版Officeとパソコン版Officeでは、完全に同じ機能が使えるわけではない。パソコン版にある一部の高度な機能は、iPad版だと省かれているのだ。たとえば、マクロ機能はiPad版だと利用できず、マクロが埋め込まれたファイルを開いてもiPad版では実行できない。また、Excelのピボットテーブルは、iPad版だと新規作成することはできない。ただし、ピボットテーブルが使われたExcelファイルはiPad版でも開くことができ、ピボットテーブル自体を操作することも可能だ。詳しくは以下の表をチェックしてほしい。

ピボットテーブル機能は、iPad版でも表示が可能だが、新規作成はできない。

アプリ	iPad版で使えない主な機能	
Word	スタイル	スタイルは適用可能だが、追加やカスタマイズは不可
	各種オブジェクトの挿入	表や画像、図形、テキストボックス、アイコンなどは使用可能。SmartArtやグラフなど一部のオブジェクトは表示のみの対応で挿入は不可
	文末脚注、引用文献、キャプション、目次など	表示は可能だが、追加や更新は不可
	校閲機能	スペルチェックは利用できるが、校正などはできない
	マクロ	マクロは実行できない
Excel	データの並べ替え、フィルター処理	通常の並べ替えやフィルター機能は使える。スライサーやタイムライン機能には未対応
	ピボットテーブル	既存のピボットテーブルを操作することは可能。ピボットテーブルの新規作成はできない
	条件付き書式、データ入力規則、外部データ機能	表示は可能だが、追加や更新は不可
	マクロ	マクロは実行できない

Wordの基本的な操作方法

1 | ドキュメントを新規作成する

テンプレートを選ぶ

アプリを起動したらMicrosoftアカウントでサインインして、左上の「+」ボタンをタップ。新規ファイルを作成しよう。テンプレートを選ぶことも可能だ。

2 | テキストを入力して書式を設定する

Office互換フォントはダウンロードして使える

文字のサイズやフォントなどは、パソコン版と同じく「ホーム」タブで設定しよう。Officeの互換フォントはダウンロードして利用できる。

3 | 文書に画像や表などを追加する

画像を挿入

画像はカーソル位置に挿入される

画像や表、図形などを挿入するときは、「挿入」タブから挿入したいものを選ぼう。画像の場合は、写真アプリ内の写真を読み込むことができる。

用紙のサイズや余白の大きさを設定する

使いこなしヒント

用紙サイズを設定

「レイアウト」タブからは、用紙のサイズや余白の大きさ、印刷の向きなどを設定できる。文書を作り込む前に設定しておこう。

ファイルの保存と印刷を行う

1 ファイルをOneDriveに保存する

ファイルをOneDrive（P142で詳しく解説）に保存する場合は、画面右上のオプションメニューボタンから「保存」をタップして保存場所を決めよう。一度保存すればあとは自動保存される。

2 ファイルを印刷する

ファイルを印刷したい場合は、画面右上のオプションメニューボタンから「印刷」→「AirPrint」を選択。Wi-Fi対応のプリンタと接続することで直接印刷が可能だ。

保存したファイルを共有する

1 ファイルの共有リンクをコピーする

保存したファイルを他の人に見てもらいたいときは、画面右上の共有ボタンから「リンクのコピー」で共有リンクを取得し、メールなどで送信しよう。

2 特定の相手と共同で編集することも可能だ

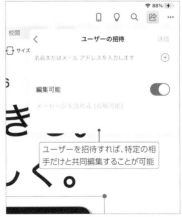

特定の相手だけと共同編集したい場合は、「ユーザーの招待」で「編集可能」をオンにして、共有相手を招待すればいい。

Excelの基本的な操作方法

1 | スプレッドシートを新規作成する

アプリを起動したらMicrosoftアカウントでサインインして、左上の「+」ボタンをタップ。新規ファイルを作成しよう。テンプレートを選ぶことも可能だ。

2 | セルをタップしてデータを入力する

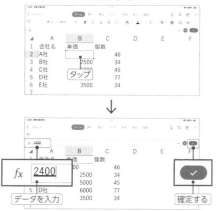

データを入力するには、目的のセルをタップ。画面上にある「fx」欄に文字や数字を入力しよう。Enterキーを押すか、緑色のチェックマークで確定だ。

3 | セルに数式を入力して計算させる

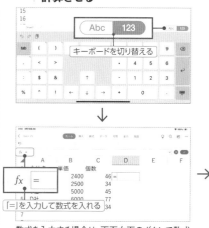

数式を入力する場合は、画面右下のボタンで数式用のキーボードに切り替えると効率的に入力できる。画面上部の「fx」欄に数式を入力していこう。

数式入力時にほかのセルをタップすれば、その値を式に代入させることが可能だ。Enterキーを押すか、緑色のチェックマークをタップすると確定される。

オートフィル機能でデータや数式を自動入力する

1 選択したセルをタップして「フィル」を選択

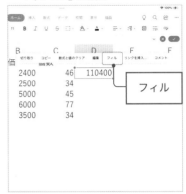

オートフィル（隣接したセルに連続データを自動入力する）機能を使いたい場合は、選択状態のセルをタップして「フィル」を選択しよう。

2 ■マークをドラッグしてオートフィルを実行

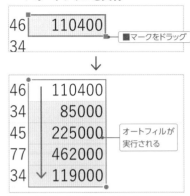

■マークをドラッグすると、オートフィルが実行され、連続したデータが入力される。数式の規則性を保ちながら連続入力したい場合に使うと便利だ。

パソコンで作ったファイルをOneDrive経由で開く

1 OneDrive上にファイルを保存しておく

OneDrive
https://onedrive.live.com/

パソコンで作成したオフィスファイルをiPadで開きたいときは、OneDrive経由でやり取りすると便利。パソコンのWebブラウザでOneDriveのサイトにアクセスし、ファイルを保存しておこう。

2 アプリからOneDriveのファイルを開く

iPad側でオフィスアプリを開いたら、画面左端のフォルダボタンをタップ。OneDriveにアクセスして、目的のファイルを開こう。

使いこなし
ヒント

セルの内容を他のアプリにコピーする際の注意

Excelのセルをコピーして、メモアプリなど他のアプリに貼り付けると、画像として貼り付けられてしまうことがある。セルの内容をコピーしたい場合は、セルを編集状態にしてから文字をコピーしよう。

セルが画像でコピーされる

フル機能を使うにはMicrosoft 365の有料ライセンスが必須

　iPad版Officeの各アプリは無料でインストールできるが、「個人または商用利用」、「使用するiPadの画面サイズ」、「Microsoft 365のライセンスの有無」、といった各条件によって使える機能に違いが出てくる（以下表参照）。フル機能が使えるのは、Microsoft 365のライセンスが紐付いているMicrosoftアカウントでサインインした場合のみ。Microsoft 365のライセンスを持っていない場合は、オフィスファイルの閲覧のみに機能が制限されてしまう（画面サイズが10.1インチ以下なら簡易の編集機能が使える）。なお、買い切り型のMicrosoft Officeを持っていても、iPad版Officeのフル機能は開放されないので注意しよう。

iPad版Officeは画面サイズによって使える機能が変わる

利用形態	iPadの画面サイズ	iPad版Office 無料版	Microsoft 365 アカウント利用時
個人利用	10.1インチ以下 iPad（第6世代以前）／ iPad mini／iPhoneなど	閲覧＋簡易編集機能 オフィスファイルの閲覧と簡易的な編集機能が使える	閲覧＋すべての編集機能 Microsoft 365を契約している場合は、オフィスファイルの閲覧や編集が可能。機能制限もなく、すべての機能が使える
	10.2インチ以上 iPad（第7世代以降）／ iPad Proなど	閲覧のみ ファイルの閲覧自体は可能だが、編集作業が行えない	
商用利用	全端末対象	閲覧のみ 商用利用の場合、画面サイズに関わらず編集が行えない。ファイルの閲覧は可能だ	

Microsoft 365主要プランの利用料金（1ユーザーあたり）

利用形態	プラン名	1ヶ月契約※1	1年契約※1
家庭向け	Microsoft 365 Personal	1,490円	14,900円
法人向け	Microsoft 365 Business Basic※2	900円	9,000円
	Microsoft 365 Business Standard	1,872円	18,720円

家庭向けのプランであれば、「Microsoft 365 Personal」のライセンスでiPad版のフル機能が利用できる。法人向けの場合は、すでに法人で契約しているライセンスなどによって最適なプランが変わるので、詳しくはMicrosoftの公式サイトをチェックしてほしい。

※1／上記表の価格は、Microsoft Storeでの販売価格（税込）。

※2／「Microsoft 365 Business Basic」はデスクトップ版Officeが含まれないプラン。

Microsoft 365ライセンスの購入方法

「Microsoft 365」とは、毎月または毎年、利用料金を支払うサブスクリプション型のサービスだ（旧称「Office 365」）。サブスクリプションを契約したい人は、公式サイト（https://www.microsoft.com/ja-jp/microsoft-365）から購入するか、以下の手順でiPad上から購入しておこう。

1 | 左下にある宝石型のボタンをタップ

Microsoft 365を契約していないMicrosoftアカウントでiPad版Officeを使用した場合、トップ画面の左下に宝石型のボタンが表示される。まずはこれをタップしよう。

2 | 「1か月間無料で試用」をタップする

上記のような画面になるので、「1か月間無料で試用」をタップ。1ヵ月の無料期間付きで、Microsoft 365のサブスクリプションが購入できる。

3 | プラン名をタップする

プラン名が表示されるのでタップ。なお、App Storeでは月額払いのみ契約できる。1年契約の支払いにしたい人は、公式サイトから購入すること。

4 | 購入手続きを済ませる

App Storeの購入画面になるので、問題なければ購入しよう。これで1ヵ月の無料期間が過ぎた後、App Store経由で毎月課金される。

表計算が格段に効率化する
外付けテンキーを利用する

数値入力時にテンキーを使う人ならおすすめ

　iPadの表計算アプリを使っているとき、数値入力をもっと素早く行いたいのであれば、iPadに対応したワイヤレステンキーを使うといい。これだけで数値入力のスピードが段違いに速くなる。もちろん、テンキー付きのワイヤレスキーボードを使ってもいいのだが、サイズが大きいので持ち運びには向かない。iPadとセットでカバンに入れておきたいなら、薄型軽量なワイヤレステンキーを選ぶといいだろう。本書でおすすめするのは、下で紹介しているiCleverのBluetooth対応テンキー。通常のテンキーだけでなく、表計算アプリでよく使うTabキーやDelキー、カーソルキーなども使えるので、ほとんどの数値入力をこれだけで済ませられる。

持ち運びしやすくデザイン性も高いワイヤレステンキー

コンパクトで
使いやすい！

カラーバリエーションは黒のほかにも、パープル、ピンク、ホワイト、ミントグリーンの4色がある。

**テンキー Bluetooth
薄型 充電式 IC-KP08**
iClever
実勢価格 2,455円(税込)

Bluetooth接続に対応したワイヤレステンキー。通常のテンキーのほか、＝キーやTabキー、Delキーなどを搭載しているので便利。

軽量で薄型なので、iPadと一緒に持ち歩いてもかさばらない。なお、充電はiPadと同じUSB-C端子で可能だ。

ワイヤレステンキーとiPadを接続してみよう

1 | テンキー側をペアリングモードにする

ペアリング用のボタンを長押ししてペアリングモードにする

まずは、ワイヤレステンキーの電源を入れ、ペアリングモードにする。多くの機種ではペアリング用のボタンを長押しすることでペアリングモードに移行する。必要であればバッテリーの充電もしておくこと。

2 | Bluetoothの設定でテンキーを接続する

機種名をタップして接続

iPadの「設定」から「Bluetooth」の設定画面を開き、Bluetoothをオンにしておく。ペアリングモードのテンキーが見つかれば、機種名が表示されるので、それをタップしよう。これで接続は完了だ。

表計算アプリでワイヤレステンキーを使ってみよう

1 | テンキーを使えば数値入力が爆速になる

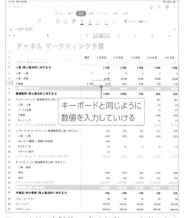

キーボードと同じように数値を入力していける

Excelなどの表計算アプリを起動して、数値を入力してみよう。通常のテンキーと同じようにスピーディに数値を入力していくことができる。

2 | テンキーをカーソルキーとして使うことも可能

NumLockをオフにしてカーソルキーモードで使う

機種によって異なるが、NumLockモードを外すことで、テンキーをカーソルキーとして使える場合も多い。カーソル移動がかなりラクになるのだ。

Googleドキュメントと
スプレッドシートを使ってみよう

シンプルな書類や表をスピーディに作るならコレ

Googleドキュメントやスプレッドシートは、iPadで文書や表を作りたいときに重宝するオフィスアプリだ。iPad用に提供されている専用アプリを使えば、テキストと画像を並べたシンプルな書類や、簡単な数式を使った表やグラフを手早く作ることができる。ファイルは常にGoogleドライブに同期され、パソコンなどのほかの端末でも閲覧・編集が可能。ファイルの共有や複数人での共同編集にも最適なため（P130参照）、チームメンバーと共有したい情報をまとめておくのにも重宝する。そのほかにも、資料や書類の文字情報をカメラでスキャンしてテキスト化したり、「データ探索」で最適な画像や表の書式、グラフなどを提案してくれたりなど、作業を効率化してくれる便利な機能もある。しっかり各種機能を使いこなして、ビジネス文書や表データをスピーディにまとめられるようになっておこう。

どんな端末でも書類を同期・編集できる

Googleドライブ
経由で常に
同期される

Googleドライブ
https://drive.google.com/

Googleドキュメントやスプレッドシートは、iPadやパソコンなど、さまざまな端末で使うことができる。データはGoogleドライブですぐ同期されるため、いちいち手動でファイルを転送する必要もない。

Googleドキュメントの基本操作

1 ドキュメントを新規作成する

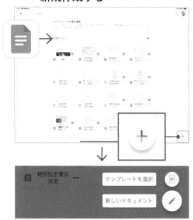

アプリを起動したらGoogleアカウントでサインインして、右下の「+」をタップ。「新しいドキュメント」で新規ドキュメントに名前を付けて作成しよう。

2 テキストを入力して書式を設定する

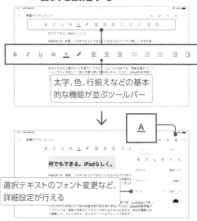

太字、色、行揃えなどの基本的な機能が並ぶツールバー

選択テキストのフォント変更など、詳細設定が行える

テキスト編集機能はWordと同じような感覚で使える。画面上のツールバーで基本的な書式を設定、右上の「A」ボタンで詳細を設定していこう。

3 文書に画像や表などを追加する

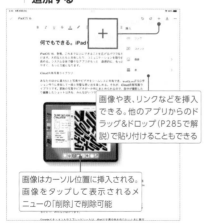

画像や表、リンクなどを挿入できる。他のアプリからのドラッグ&ドロップ（P285で解説）で貼り付けることもできる

画像はカーソル位置に挿入される。画像をタップして表示されるメニューの「削除」で削除可能

画像や表、リンクなどは、画面右上の「+」ボタンから挿入したいものを選ぼう。画像の場合は、iPad内の写真を読み込むことができる。

4 資料などの文字をテキストとして取り込む

テキストをスキャン — タップ

カメラで文字を写して「入力」をタップ

文字入力位置をタップして「自動入力」→「テキストをスキャン」を実行。書類や資料の文字をカメラでスキャンして、即座にテキスト化することが可能だ。

127

Googleスプレッドシートの基本操作

1 スプレッドシートを新規作成する

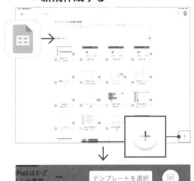

アプリを起動したらGoogleアカウントでサインインして、右下の「+」をタップ。新規スプレッドシートを作成しよう。テンプレートを選ぶことも可能だ。

2 セルをダブルタップしてデータを入力する

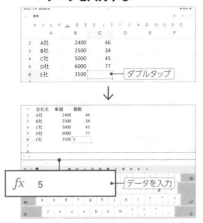

セルをダブルタップして編集状態にしたら、文字や数字を入力しよう。必要であれば画面上部のツールバーで書式も変更できる。

3 セルに数式を入力して計算させる

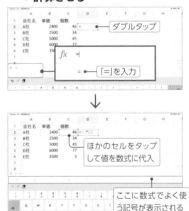

Excelと同じように、セルに「=」を入力すると、計算が行える。ほかのセルをタップすれば、その値を数式に代入させることも可能だ。

4 数式やデータをほかのセルに自動入力する

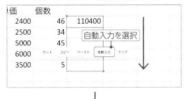

数式やデータが入ったセルを選択して、青枠の右下にある●マークを下にドラッグ。選択状態の青いエリアをタップして「自動入力」を実行すれば、その式やデータが選択したセルに自動入力される。

Googleスプレッドシートで覚えておくと便利な機能

1 選択したセルの合計値を出す

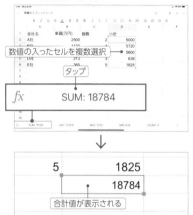

数値の入ったセルを複数選択

タップ

fx SUM: 18784

↓

合計値が表示される

Googleスプレッドシートでは関数も扱える。たとえば、SUM関数（合計値を計算）は、上のようにセルを選択して画面下の「SUM:○○」を選べばいい。

2 セルの枠線や色を設定する

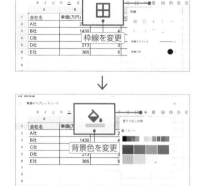

枠線を変更

↓

背景色を変更

セルの枠線や背景色は、画面上部のツールバーのボタンから変更できる。枠線にはいくつかの種類があり、枠線自体の色も変更可能だ。

3 フィルタを作成してデータを並べ替える

5720	データ探索
5600	フィルタを作成
639	詳細　　タップ

↓

条件を設定

タップ

右上の「…」から「フィルタを作成」を選び、セル内のフィルタマークをタップすると、セルを特定の条件で並べ替えたり、抽出表示したりが可能だ。

4 データ探索で表の書式やグラフを自動作成

2	検索と置換
4	データ探索
7	
3	フィルタを削除　　タップ

↓

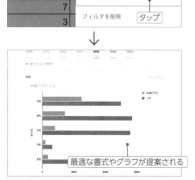

最適な書式やグラフが提案される

「データ探索」機能を実行すると、表の書式やグラフなどを最適な形で提案してくれる。グラフは数種類から選べ、シートに貼り付けることが可能だ。

複数のユーザーで 書類を作成、編集する

Googleドキュメントとスプレッドシートで共同作業を行う

　社外メンバーを含めたチームで文書や表計算のドキュメントを共同編集したいときは、Googleドキュメントやスプレッドシートを使うのが便利だ。Googleのオフィスアプリであれば、誰でも無料で編集に参加でき、パソコンやスマホなど環境を問わずにアクセスできる。ドキュメントを共有する最も簡単な方法は、共有リンクを発行して、メンバー全員に送るという方法だ。これで、共有リンク知っている人なら誰でも（Googleアカウントを持っていなくても）文書の閲覧や編集を行えるようになる。また、メンバー全員がGoogleアカウントを持っているなら、個別に招待することで参加メンバーを限定することが可能。この場合、メンバーごとにアクセス権を変えることができる。

プロジェクトメンバーで同じファイルを共同編集する

共同編集で
効率よく
文書を作成

複数人で共同編集すれば、より効率的にドキュメントを作ることができる。コメントの投稿もできるので、ほかのメンバーに相談しながら作業可能だ。

Googleドキュメントの共有リンクでファイルを共有する方法

1 ファイルを開いて 共有ボタンをタップ

共有したいファイルを開いたら、画面右上の共有ボタンをタップしよう。共有の設定画面が開くので、灰色の人型ボタンをタップする。

2 リンクを知っている 全員に共有を許可する

上の画面になったらリンク設定欄をタップし、「制限付き」から「リンクを知っている全員」に切り替える。続けて右上のリンクボタンをタップすると、共有URLがクリップボードにコピーされる。

3 メールやSNSなどで 共有URLを相手に渡す

あとはメールやSNSなどを使い、共有相手に共有URLを伝えよう。共有URLを知っている人であれば、誰でもファイルを閲覧できるようになる。

誰でも編集できるように アクセス権を変更する

使いこなしヒント

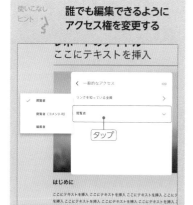

手順2の画面では、共有URLからアクセスした他のユーザーのアクセス権を設定することができる。共有ユーザー全員にファイルの閲覧だけでなく編集作業も任せたいなら、アクセス権「閲覧者」から「編集者」にしておこう。

共有するユーザーを指定して共同作業を行う

1 | 共有するユーザーの メールアドレスを入力

特定のユーザーだけにアクセス権を与えて共有したい場合は、共有の設定画面で相手のメールアドレス（Googleアカウント）を入力し、アクセス権を決めて招待メールを送信しよう。この場合、相手もGoogleアカウントを所持している必要がある。

2 | 共有中の相手は どう見える?

右上の「…」ボタンをタップすると、現在ファイルにアクセスしている共有相手がGoogleアカウントのアイコンで表示される。なお、共有リンクからアクセスした人は匿名用の動物アイコンで表示される。

3 | 共同でファイルの 編集を行おう

編集権を持っているユーザーがファイルを編集すると、その部分はハイライト表示される。他の人が編集した内容は、リアルタイムに反映される。

使いこなしヒント | ファイルの共有を オフにするには?

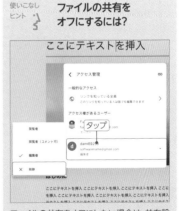

ファイルの共有をオフにしたい場合は、共有設定画面でアカウントアイコンをタップし、ユーザー名をタップして「削除」を実行すればいい。また、リンクの共有をオフにするには、リンク設定欄をタップして「制限付き」に設定しよう。

他のメンバーに変更を提案する方法

1 | 「変更を提案」を有効にする

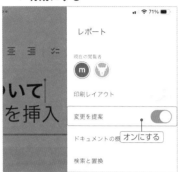

画面右上の「…」から「変更を提案」をオンにして編集を行うと、変更を他のメンバーに提案する形で編集作業が行える。

2 | 提案について返信や承認を行おう

提案された箇所は打ち消し線などが描かれる。タップして「提案を表示」を実行すれば、他のユーザーと意見を交換したり、変更を承認したりが可能だ。

コメント機能で他のメンバーとやり取りする

テキストや画像などを選択して「コメントを追加」をタップすると、その場所についてのコメントを投稿できる。コメントは他の共有メンバーが見ることができ、返信も可能だ。

使いこなしヒント

詳細な変更履歴を確認するにはパソコンで操作しよう

ファイル一覧画面で、ファイルごとの「…」から「詳細とアクティビティ」をタップすると、大まかな履歴が表示される。なお、iPad版アプリだとファイルごとの細かい変更履歴は確認できない。変更履歴を詳細にチェックしたい場合は、パソコンのWebブラウザからアクセスしよう。

Pagesで見栄えのよい企画書や資料を作成する

雑誌風のレイアウトも簡単に作成できる

　テキスト中心のシンプルな文書ではなく、写真や表などを配置した見栄えのよい文書を作りたいのであれば、「Pages」を使ってみよう。同じ文書作成アプリの「Word」とできることは似ているが、Apple製のアプリだけあって目的の操作をストレスなく行える。テキストの基本的な書式設定や行間隔、段組みといった細かな設定も、素早く操作することが可能だ。また、画像挿入時は、ファイルアプリ経由でOneDriveなどの他社製クラウドストレージから画像を読み込める。他社製のオフィスアプリだと、あらかじめ画像をiPad内に保存しておく必要があるが、その手間がなくなるのでかなり便利だ。これなら、写真や画像を多用した雑誌風のレイアウトも、iPadだけでスムーズに作成することができる。なお、作成したファイルを他人に渡す場合、Pagesのファイル形式のままだと相手が開けない可能性がある。PDFに出力してからメールなどで送信しよう。

レイアウトの自由度が高いのが特徴！

Pagesは、テキストや画像のレイアウトの自由度が高く、見栄えのよいドキュメントを簡単な操作で作成できる。

ドキュメントを新規作成してテキストの書式を設定する

1 ドキュメントを新規作成する

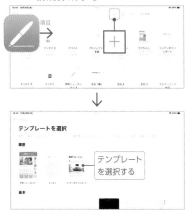

テンプレートを選択する

アプリを起動したら、画面右上の「＋」をタップ。テンプレートから新規ドキュメントを作成しよう。空白から始めたいときは、空白のテンプレートを選択する。

2 テキストを入力して書式を設定する

テキストの書式を設定する

テキストを入力して文書を作っていこう。テキストを選択して、右上のブラシボタンをタップすれば、段落スタイルやフォント、色などの書式を設定できる。

3 テキストの行間隔や段組みの列数なども設定可能

行間隔や段組みの列数を設定

右上のブラシボタンからは、選択したテキストの行間隔や段組みの列数を設定できる。読みやすい状態に設定しておこう。

使いこなしヒント テキストボックスを挿入するには

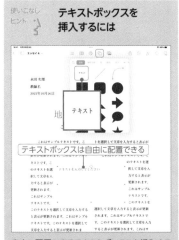

テキストボックスは自由に配置できる

自由に配置できるテキストボックスを挿入する場合は、画面上部の図形マークをタップ。「テキスト」と書かれたものを挿入すればいい。

画像を挿入してテキストの折り返し設定をする

1 「＋」ボタンから画像を挿入できる

画面上には、表やグラフ、図形、写真などを挿入できるボタンが並んでいる。ここでは写真ボタンを選択して、「挿入元」をタップしよう。

2 ファイルアプリで挿入したい画像を選択

「挿入元」では、ファイルアプリで連携している各種クラウドサービスから画像を挿入できる。iCloud DriveやOneDriveなどから直接挿入が可能だ。

3 画像のテキスト折り返し（回り込み）設定を行う

配置した画像はドラッグ操作で位置やサイズを変更できる。また、画像を選択した状態で右上のブラシアイコンをタップして「配置」を選択すると、テキストの折り返しなどが簡単に設定可能だ。

使いこなしヒント
貼り付けた写真の背景を削除する

被写体の部分だけ切り抜かれる。テキストも切り抜き写真に合わせて回り込んで配置される

写真を配置した後、ブラシアイコンから「画像」→「背景を削除」をタップ。写真の下に表示された「終了」を押すと、背景部分が透過状態になり、被写体のみを切り抜くことが可能だ。

Apple Pencilで手書きの図を挿入する

Apple Pencilで画面をタッチしたら、下部のツールバーにある描画ツール（ペンや鉛筆など）を選択した状態で、もう一度画面内をタッチ。描画エリアが挿入されるので、そこに手書きの図などを描いていこう

完成した文書をPDFで書き出す

1 PDFで書き出しを行う

完成したドキュメントを誰かに渡したい場合はPDF化しておこう。画面左上にある書類名の横のボタンをタップし、「書き出し」→「PDF」をタップする。

2 送信方法または保存場所を設定する

上の画面が表示されるので、PDFの送信方法を選択しよう。ほかのクラウドサービスに保存したい場合は「"ファイル"に保存」から設定すればいい。

KeynoteとApple Pencilで最強のプレゼン環境を構築

Keynoteでプレゼン資料を作成して再生しよう

　プレゼン用のアプリと言えば、古くから「PowerPoint」が主流だ。しかし、作成からプレゼンまでiPadやMacで完結できるのであれば、「Keynote」を利用してみるのもオススメ。他社製品よりiPadに最適化されており、インターフェイスもシンプルで使いやすく、見栄えのいいスライドを簡単に作成できる。また、Apple Pencilとの相性も抜群で、スライドに手書きで文字を書き込むのはもちろん、スライド再生中に要点を線で囲んだり、レーザーポインタ代わりにしたりできる。別途HDMIやVGA接続用のアダプタを購入しておけば、外部のプロジェクターやディスプレイにも接続でき、大きな会場でのプレゼンにも問題なく対応可能だ。なお、作成したスライドは、PowerPoint形式への変換や、PDF、ムービー、アニメーションGIFなど、さまざまな形式で出力することができる。

Apple Pencilでスライド再生中に書き込みできる

Apple Pencilがあれば、プレゼン中にポイントとなる部分を手書きで囲ったり、メモを書いたりが直感的にできる。レーザーポインタ的な機能もあるので便利だ。

Keynoteでプレゼン資料を作成してみよう

1 ファイルを新規作成して テーマを選ぶ

↓

好きなテーマを選択

まずは、Keynoteの基本操作を解説しておこう。アプリを起動したら、画面右上の「＋」をタップして「テーマを選択」から好きなテーマを選択する。

2 編集エリアをダブルタップして テキストを入力

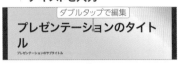

ダブルタップで編集

プレゼンテーションのタイトル

プレゼンテーションのサブタイトル

↓

タイトルのスライドが表示されるので、編集エリアをダブルタップしてテキストを入力。画面右上のブラシボタンで、フォントや色などの変更が可能だ。

3 新たなスライドを追加して 画像を配置する

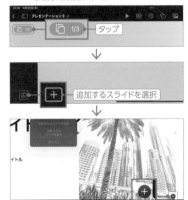

タップ

追加するスライドを選択

スライドの追加は、画面左上のスライド数が表示されていればタップし、左下の「＋」をタップすればいい。また、スライドのダミー画像を置き換えたい場合は、画像をタップして右下の「＋」をタップする。

4 背景の色変更や 各種オブジェクトの追加

背景色を変更

↓

画像や表、グラフなども配置できる

背景色の変更は、背景をタップして右上のブラシボタン→「背景」を選択。画面上の各種ボタンからは表やグラフ、図形、写真などを挿入できる。

完成したプレゼンテーションを再生させる

1 | プレゼンテーションを開いて再生ボタンをタップ

① 最初に表示させたいスライドをタップ

② 再生ボタンをタップ

完成したプレゼンテーションを再生させるには、まず画面左側のスライド一覧から最初に再生させたいスライドをタップ。画面上部の再生ボタンタップすればいい。

最初のページを表示させておくこと!

2 | 再生中の操作を把握しておこう

画面タップで次のスライドへ

NEW FEATURE

1.iCloud共有写真ライブラリ

2. 画面左端をタップでスラ が進化

3. イドナビゲータの表示

4.より安全にサインインできるパスキー

5.ステージマネージ 登場

6.新しいディス イモード

7.写真の切り きなど細かい機能も

point!!

右にスワイプで前のスライドへ

Apple Pencilで描画が可能

便利!!

再生中は、画面タップで次のスライドに移動、右にスワイプして前のスライドに戻る。画面左端をタップしてスライドナビゲーターを表示すれば、任意のページに移動可能だ。手書きでの描画やレーザーポインタ機能も使える。

レーザーポインタ機能

使いこなしヒント

FaceTime通話中にKeynoteでプレゼンテーションを共有

FaceTimeで通話している相手にKeynoteのプレゼンテーションを共有したい場合は、通話中に画面をタップして「コンテンツを共有」ボタンをタップ。「画面を共有」を実行したら、Keynoteでアプリを切り替えて、共有したいプレゼンテーションを開こう。あとは再生ボタンをタップしてプレゼンテーションを再生すればいい。

iPadをプロジェクタやディスプレイに接続するには?

　プレゼンテーションを行う場合、会場に設置されたプロジェクタやディスプレイなどの大きな画面にスライドを写すことが多い。iPadの映像をプロジェクタもしくはディスプレイに出力したい場合は、以下で紹介しているアダプタと接続用のHDMIもしくはVGAケーブルを別途用意しておこう。古いプロジェクタの場合、VGA接続が使われることもあるので要注意だ。

USB-C Digital AV Multiportアダプタ
Apple
価格 9,380円(税込)

iPadのUSB-C端子と接続することで、HDMI接続で映像を外部出力しつつ、USB端子や充電ケーブルと接続できる。

陶芸展『次世代の女性陶芸家たち』
イベント企画の概要について

USB-C VGA Multiportアダプタ
Apple
価格 9,380円(税込)
古めのプロジェクターだと、VGA端子しか映像入力がない場合もあるので、その場合はHDMIではなく、VGA出力の付いたアダプタを買おう。

Apple TV 4K
Apple
価格 19,800円(税込)〜
企業によってはミーティングルームにApple TVが用意されている場合もある。Apple TVなら、iPadの映像をWi-Fi経由で送ることが可能だ。

> 使いこなし
> ヒント
>
> ### Lightning端子が搭載されているiPadの場合
> Lightning端子が搭載されているiPadの場合は、上記で紹介している各種アダプタではなく、Lightning端子用のアダプタを購入しよう。HDMI接続用は「Lightning - Digital AVアダプタ(7,980円)」、VGA接続用は「Lightning - VGAアダプタ(7,980円)」がオススメ。

ExcelやWordのファイルは OneDriveで管理する

オフィスファイルの保存先に最適なクラウドストレージ

　「OneDrive」とは、Microsoftが提供しているクラウドストレージサービスだ。iPad版の各種Officeアプリで作成したドキュメントは、基本的にOneDrive上に自動保存されるようになっている。そのため、iPadで作った各種Officeファイルをパソコンや他の端末で開きたいときは、OneDrive経由でダウンロードすればいい。パソコンで作ったファイルをiPadで開きたい場合も同じだ（P121参照）。Microsoft 365を契約しているユーザーであれば、最初から1TBのクラウドストレージ容量が提供され（Microsoft 365 Personalプランの場合）、保存容量も申し分ない。さまざまな端末でExcelやWordを使うという人は、Office系ドキュメントをOneDriveに集約させておこう。なお、iPad上でOneDrive内の全ファイルを確認したいときは、以下のiPad版OneDriveアプリを使う。ファイルの管理や閲覧だけでなく、共有管理や書類のスキャン機能などが使えるので便利だ。

iPad版OneDriveアプリでクラウド上のファイルを管理

1 OneDrive内のファイルをすべて閲覧・管理できる

OneDriveのクラウドストレージにアクセスするには、専用アプリを使うと便利。各種ファイルをタップすれば対応アプリですぐに開ける。

  Microsoft OneDrive
作者 Microsoft Corporation
価格 無料

2 ドキュメントの共有が手軽にできる

ファイルの共有管理も素早く行える。画面下の「ファイル」画面でファイルを一覧表示し、右端の「…」ボタンをタップ。表示されたメニューの「共有」でドキュメントごとの共有設定を行おう。

05

PDF
の仕事技

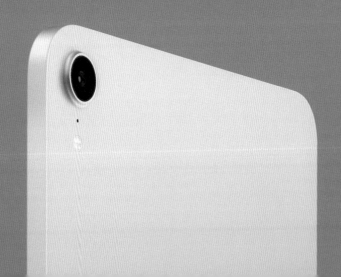

PDFを柔軟に扱える PDF Expertを導入しよう

PDF書類を高度に管理・編集できる定番アプリ

電子化された書類のスタンダード形式と言えばPDF。iPadではメールで届いたPDFファイルをタップするだけで開くことができるし、マークアップ機能を使って指示を書き加えることもできる。ただ、マークアップは細かい指示の書き込みにあまり向いていないし、PDFのページを並べ替えるといった編集もできない。そこで、PDFを自由に扱える定番アプリ「PDF Expert」を使ってみよう。残念ながら無料版だとPDFの編集機能がほとんど使えないので、仕事で使うならサブスクリプションのPremium版がおすすめ。P168で紹介する「PDF Viewer Pro」の方が無料で使える編集機能は多いが、「PDF Expert」の方が動作が安定していて、クラウドサービスとの同期フォルダを作成できたり、ダウンロードの進捗状況が分かったりと、細かな点で使い勝手がいい。またSplit Viewなどのマルチタスクでひとつのファイルを2画面で操作できる（P154で解説）点も魅力だ。

	無料版	Premium版 (5,400円／年)
ファイルとフォルダの管理	○	○
クラウドでの作業	○	○
PDFの閲覧	○	○
PDFに注釈をつける	○	○
フォームに記入	○	○
PDFに署名	−	○
スタンプを追加	−	○
PDFページを管理	−	○
PDFを結合する	−	○
PDFテキストの編集	−	○
PDF画像の編集	−	○
リンクの追加	−	○
機密情報の墨消し	−	○
書類や画像をPDFに変換	−	○
ファイルサイズの圧縮	−	○
ツールバーのカスタマイズ	−	○

PDF Expert
作者 Readdle Technologies Limited
価格 無料

無料版とPremium版の主な違いは左表の通り。基本的にPDFページを編集するにはPremium版（年額5,400円）が必要だが、買い切り制だった旧バージョンの「PDF Expert 6」の購入履歴があれば、PDFの並べ替えやページの追加、結合といった一部の編集機能を無料版でも利用できるようになっている。

PDF ExpertにPDFファイルを保存する

1 クラウドサービスを追加する

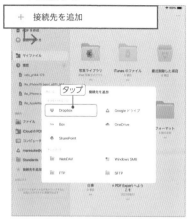

まず、サイドメニューの「接続先を追加」をタップ。PDFファイルが保存されているクラウドをタップし、連携を許可しよう。ここでは「Dropbox」を追加する。

2 「このフォルダを同期」をタップする

「接続先」欄に追加されたDropboxにアクセスし、PDFが入ったフォルダを開いたら、画面右上の「…」→「同期」→「このフォルダを同期」をタップ。

3 PDF Expertに同期

タップしてフォルダを開く。フォルダを同期せず、サイドメニューからDropboxにアクセスして、直接ファイルをPDF Expertで開いたり、PDF Expertにファイルをダウンロードして扱うなど、使いやすい方法で利用しよう

「マイファイル」に「同期フォルダ」が作成され、この中に同期したフォルダのコピーが作成される。オンライン中はDropboxと双方向で同期し、オフラインでもアクセスできる。

使いこなしヒント メールに添付されたPDFを保存する

メールに添付されたPDFファイルは、ロングタップして「共有」→「PDF Expert」で保存できる。共有メニューにアイコンがない時は、「その他」の候補から「PDF Expert」を追加しよう。

保存したPDFファイルを操作する

1 | 新規フォルダや PDFを作成する

右下の「＋」ボタンから、「フォルダ」をタップして新規フォルダを作成。「空白のPDF」をタップして新規PDFファイルを作成できる。

2 | PDFをコピー、 移動、削除する

ファイルやフォルダの「…」ボタンをタップすると、表示されるメニューでコピーや移動、削除といった操作を行える。

3 | PDFを複数選択 して操作する

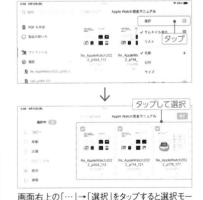

画面右上の「…」→「選択」をタップすると選択モードになる。複数ファイルにチェックすると、サイドメニューでコピーや移動、削除を行える。ロングタップして左メニューにドラッグし、まとめて他のフォルダに移動することも可能。

4 | iPadの標準操作でも 複数選択できる

ひとつのファイルをロングタップして少し動かし、そのまま他のファイルをタップしていく。ホーム画面のアプリや、ファイルアプリと同様の操作で複数選択できる

iPadの標準操作でも複数のファイルを選択できる。ひとつのファイルをロングタップして浮かび上がったら少し動かし、そのまま他の指で別のファイルを選択していく。まとめてドラッグ＆ドロップで操作できるようになる。

PDFファイルを送信する、共有する

1 | PDFを添付して メールを送る

ファイルの「…」ボタンから「メール」をタップすると、添付してメールを作成できる。フォルダの場合はZIPで圧縮して添付される。

2 | PDFを他のアプリ にコピーする

編集したPDFを他のアプリで開きたい場合は、「…」→「共有」をタップ。コピー先のアプリを選択しよう。

ファイルを圧縮する、パスワードで保護する

1 | ファイルやフォルダ を圧縮する

ファイルやフォルダの「…」→「圧縮」をタップすると、ZIP形式で圧縮できる。また、圧縮ファイルはタップするだけで中身が解凍される。パスワード付きZIPファイルの解凍にも対応する。

2 | PDFファイルを パスワードで保護する

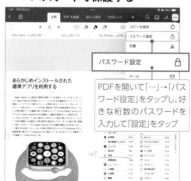

PDFを開いて「…」→「パスワード設定」をタップし、好きな桁数のパスワードを入力して「設定」をタップ

サブスクリプション契約を済ませたPremium版なら、PDFファイルに個別にパスワードを設定できる。PDF Expert上だけでなく、他のアプリやパソコンなど別のデバイスで開く際にも、パスワードの入力が求められるようになる。

PDFの書類に指示や注釈を書き加える

PDF ExpertでPDF書類にメモを記入しよう

　PDF Expertを使えば、PDFの書類内に文字や図形を自在に書き込める。「注釈」タブ開き、「ペン」「マーカー」「テキスト」「メモ」「図形」などのツールを切り替えて、PDFに指示や注釈を追加していこう。それぞれのツールは、カラー、太さ、筆圧の有無などの設定を、細かく変更できるようになっている。Apple Pencilと組み合わせれば、PDFへの書き込みはより快適になる。ただし無料版だと、ツールバーにはペンとマーカーがそれぞれ1本ずつしか用意されていないので、ペンのカラーや太さを素早く切り替えたいときに不便だ。そこで、マーカーの不透明度を「100%」にし、好きなカラーと太さに調整して、色違いの2本目のペンツールとして使うのがおすすめだ（P151で解説）。

書類や印刷物の校正作業に最適！

虫眼鏡ボタンでPDF内のテキストをキーワード検索できる。表記ゆれのチェックや用語の差し替えなどに利用しよう

PDFファイルを開いて「注釈」タブを開くと、上部に注釈ツールが表示される。相性抜群のApple Pencilがあれば、細かな指示の入力も快適に行える。

PDFにペンや手書きで入力する

1 ペンで指示を書き込む

ツールバーの「ペン」「マーカー」ボタンをタップすると手書きモードになる。マーカーは不透明度とカラー、太さを調整して、2本目のペンとして使ったほうが便利（P151で解説）。

2 消しゴムで書き込みを消す

「消しゴム」ボタンをタップすると、ペンで書き込んだ文字を消せる。Apple Pencil（第2世代）のダブルタップでも消しゴムツールに切り替えできる。

3 ハイライトやアンダーライン

ツールバーの左の方にある各ボタンで、文字にマーカーを引いたり、下線を引いたり、取り消し線を引くことができる。

4 書き込みのサイズ変更や削除

書き込みをタップすると、オブジェクトとして選択状態になった上でメニューが表示され、コピーや削除を行える。また青い枠をドラッグすれば、サイズを変更できる。

PDFにテキストやメモを入力する

1 | タップした位置にテキストやメモを挿入する

「テキスト」や「メモ」ボタンをタップすると、タップした位置にテキストを挿入したり、メモを添付できる。メモの場合、普段は小さな吹き出しで表示されるので、長文での指示に便利。

2 | テキストやメモはスクリブルでも入力できる

テキストやメモは、キーボードで入力する以外に、スクリブルで手書き入力も可能だ。Apple Pencilで手書きの指示を加えているときに、キーボードに切り替えることなくスムーズに作業できる。

3 | 範囲選択ツールを使いこなす

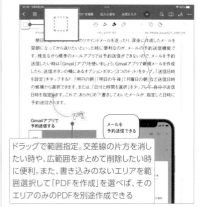

ツールバー左端の選択ボタンをタップすると範囲選択モードになる。ドラッグした範囲の書き込みのみが選択状態になり、選択部分に対して移動や削除の操作を行える。

4 | 図形を挿入する

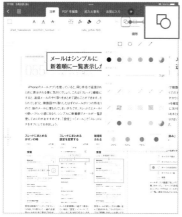

「図形」ボタンをタップすると、タップした位置に四角、円、直線、矢印などの図形を挿入できる。「塗りつぶしの色」で色を選んで塗りつぶしも可能。

ペンとマーカーのおすすめ設定

1 | ペンの筆圧は「均一」に設定

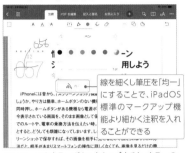

> 線を細くし筆圧を「均一」にすることで、iPadOS標準のマークアップ機能より細かく注釈を入れることができる

ペンツールのカラーボタンをタップすると、カラーの変更や太さを調節できる。細かい指示を書き加えたい場合は、太さを0.5ptか1ptにし、筆圧を「均一」に設定するのがおすすめ。

2 | マーカーを2本目のペンにする

マーカーをあまり使わないなら、色違いの2本目のペンとして使う方が便利。「不透明度」を「100%」に設定した上で、カラーはペンと違う色に、太さは「1pt」などに設定しよう。

「お気に入り」で複数のペンを追加する

1 | お気に入りタブでツールを追加する

サブスクリプション契約を済ませていれば、「お気に入り」タブで複数のペンを登録できる。「ツールを追加」→「ペン」をタップし、色や太さが違う複数のペンを追加しておこう。

2 | お気に入りのツールを編集する

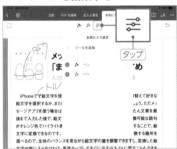

ツールバー右端の「お気に入り設定」ボタンをタップすると、別のツールを追加できるほか、「編集」ボタンで追加済みのペンを削除したり並べ替えできる。

使いこなしヒント

メール添付のPDFに指示を加えて返信したい時は

メールに添付されたPDFファイルの場合は、PDFを開いて右上のマークアップボタンをタップすると、標準のマークアップ機能で指示を書き込める。「完了」→「全員に返信」で、指示を加えたPDFを添付して返信が可能だ。

書き加えた指示や注釈を
編集できないようにして送信する

相手が注釈内容を編集することを防ごう

　注釈を書き加えたPDFファイルを他のユーザーに送信する際は、そのままだと相手も編集可能な状態で送ることになる。このため、相手が誤って注釈を消してしまい指示内容が分からなくなったり、勝手に注釈を別の内容に書き換えるといったトラブルも起こりうる。このようなトラブルを防ぐには、元のPDFファイルと書き加えた注釈のレイヤーを統合させて、注釈を編集できない状態にする「フラット化」という作業を施してから送信すればよい。PDF Expertの場合は、右上の「…」→「共有」をタップして「フラット化されたコピー」を選択し、「共有」をタップ。メールやメッセージなど送信手段を選択しよう。

「フラット化されたコピー」でPDFを共有する

1 右上のオプションボタンから共有をタップ

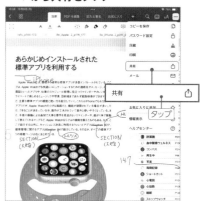

PDF Expertで右上のオプション（…）ボタンをタップし、メニューから「共有」をタップすると、ファイル形式の選択画面が開く。

2 フラット化されたコピーで共有する

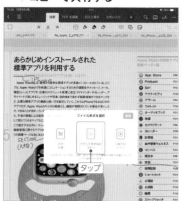

「フラット化されたコピー」を選択して「共有」をタップしよう。注釈を編集できないよう、元のPDFに統合した状態で相手に共有できる。

PDFの書類上に注釈のあるページだけを抽出する

注釈を入れたページだけを抜き出して相手に送ろう

　何ページもあるPDFの一部に注釈を書き込んでおり、その注釈を入れたページだけ相手に送ればよい場合、注釈のないページも含めて全部送るのは容量の無駄だ。PDF Expertなら、右上の「…」→「共有」をタップして「注釈付けページ」を選択することで、注釈が書き込まれているページだけが自動的に抽出され共有できる。なお、P152の手順でPDFをフラット化してしまうと、注釈が入ったページを区別できなくなるので抽出もできない。PDFをフラット化するなら、先に「注釈付けページ」で注釈を入れたページだけ抽出し、いったん他の場所に保存しよう。その後、PDF Expertで保存したPDFファイルを開いて「…」→「共有」→「フラット化されたコピー」を実行すればよい。

「注釈付けページ」でPDFを共有する

1 | 右上のオプションボタンから共有をタップ

PDF Expertで右上のオプション（…）ボタンをタップし、メニューから「共有」をタップすると、ファイル形式の選択画面が開く。

2 | 注釈付けページだけを抽出して共有する

「注釈付けページ」を選択して「共有」をタップしよう。PDFの全ページから、注釈を入れたページだけが抽出された状態で相手に共有できる。

2つのPDFを同時に
開いて書き込みを行う

PDF Expertを同時起動して見比べながら作業できる

　PDFファイルを複数開いた状態で作業すると、修正前と修正後のPDFを並べて比較したり、同じPDFの離れたページを参照しながら他のページに書き込むなど、より効率よく編集を行える。複数のPDFファイルを同時に開くには、ステージマネージャやSplit View、Slide Overといったマルチタスク機能を利用しよう。基本的にはSplit Viewで画面を2分割する形が作業しやすくおすすめだ。PDF Expertなどの対応アプリであれば、これらのマルチタスク画面上で同じアプリを複数同時に起動できるので、それぞれのウインドウでPDFファイルを開いて、見比べながら作業できるようになる。また、それぞれの画面で別のフォルダを開いて、ドラッグ&ドロップでPDFファイルを移動するといった操作も簡単なので、ファイル管理も快適に行える。

PDF Expertで複数の画面を開いた際のメニュー操作

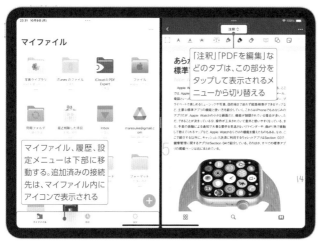

「注釈」「PDFを編集」などのタブは、この部分をタップして表示されるメニューから切り替える

マイファイル、履歴、設定メニューは下部に移動する。追加済みの接続先は、マイファイル内にアイコンで表示される

PDF Expertは通常だと、サイドバーにマイファイルや接続先などのメニューがまとめられているが、Split ViewやSlide Overで画面を分割したり、ステージマネージャでウインドウを一定以下のサイズにすると、各種メニューが下部やマイファイル内に移動する。PDF編集のメニューなども少し操作性が変わる。

新旧ファイルを見比べて確認する

1 | PDF ExpertをSplit Viewで開く

タップしてホーム画面が表示されたら、もうひとつのPDF Expertを起動する

新旧2つのPDFを見比べて変更箇所をチェックしたい場合は、Split Viewで画面を2分割するといい。まずPDF Expertでひとつ目のPDFファイルを開く。続けて、上部の「…」→「Split View」をタップし、ホーム画面が表示されたらもうひとつのPDF Expertを起動しよう。

2 | 別ウインドウで新しいPDFを表示して見比べる

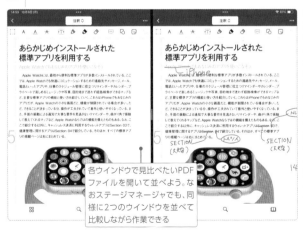

各ウインドウで見比べたいPDFファイルを開いて並べよう。なおステージマネージャでも、同様に2つのウインドウを並べて比較しながら作業できる

新しく開いたPDF Expertのウインドウで、もうひとつのPDFファイルを開こう。それぞれのウインドウで新旧のPDFファイルを開くことで、どこが変更されたかひと目で分かる。もちろん、それぞれの画面で注釈の書き込みや編集作業なども行える。各ウインドウで同一ファイルを開いて、それぞれ別のページを表示させるといった使い方もできる。

使いこなしヒント

ステージマネージャなら最大4画面で作業できる

ステージマネージャなら最大4画面まで同時に開くことができるので、たとえば個別に注釈が書き込まれた3つのPDFファイル開いておき、新しく開いたPDFにすべての注釈をまとめて反映させるといった作業も簡単に行える。

同じPDFの離れたページを参照する

1 PDF ExpertをSlide Overで開く

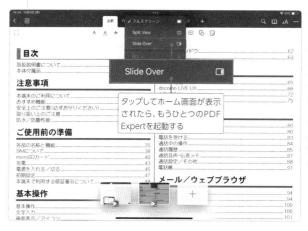

> タップしてホーム画面が表示されたら、もうひとつのPDF Expertを起動する

何百ページもあるようなマニュアルPDFで、目次ページだけ素早く確認できるようにしたいなら、Slide Overを使うと便利だ。PDF ExpertでマニュアルPDFを開いたら、上部の「…」→「Slide Over」をタップ。ホーム画面が表示されたら、もうひとつのPDF Expertを起動しよう。

2 Slide Over側で目次などを表示する

> 目次など常に確認したいページを表示しておく

新しく開いた画面でも同じマニュアルPDFを開いたら、Slide Over側の画面では目次ページなどの常に確認したいページを表示させておこう。

3 必要なときだけ表示できる

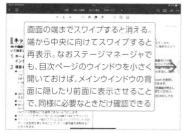

> 画面の端までスワイプすると消える。端から中央に向けてスワイプすると再表示。なおステージマネージャでも、目次ページのウインドウを小さく開いておけば、メインウインドウの背面に隠したり前面に表示させることで、同様に必要なときだけ確認できる

Slide Overの画面は、必要ないときにさっと画面の端までスワイプして消せるのが便利なところ。また目次を確認したくなったら、画面の端から中央にスワイプすればよい。

使いこなしヒント

同じPDFを2つの画面で編集するとどうなる?

同じPDFを2つの画面で開き、片方の画面で注釈などを書き込むと、もう片方の画面にも即座に書き込み内容が反映される。どちらの画面で編集したかは関係なく、取り消しボタンをタップすると、最後に行った操作から取り消されていく。

ファイルをドラッグ&ドロップで手軽に整理する

1 | PDF Expertを2画面同時に起動する

PDF Expertを複数同時に起動することで、ファイルの整理もドラッグ&ドロップで簡単にできる。まずSplit ViewでPDF Expertの画面を2つ開こう。ステージマネージャなどで開いてもよい。

2 | ファイルを選択して片方の画面にドロップ

片方のウインドウで移動したいPDFファイルやフォルダを複数選択したら、ロングタップして、そのままもう片方のウインドウで開いたフォルダにドラッグ&ドロップする。

3 | 2つの画面をまたいでファイルを移動できた

このように、2つのウインドウをまたいでファイルを移動できる。バラバラの場所にあるファイルをひとつのフォルダにまとめたいときなどは、1画面でファイルを移動するよりも効率的なので覚えておこう。

使いこなしヒント

PDF内の画像などはドラッグで移動できない

各ウインドウのPDF ExpertでPDFを編集モードにし（P162で解説）、片方のPDF内の画像をドラッグしても、そのままもう片方のPDFに移動することはできない。画像をタップしてポップアップメニューからコピーし、もう片方のPDF内に貼り付けるようにしよう。

PDFのページを
編集する

PDF Expertの有料版で本格的なページ編集を行う

　PDFで受け取った資料から一部だけ抜き出して他の人に渡したり、複数の
PDFファイルをひとつにまとめて送りたいこともあるだろう。そんな時もPDF
Expertの出番だが、残念ながら無料版ではこうした操作ができない。サブスクリプ
ション契約を済ませ有料版へ移行して、PDFページの編集機能を使えるようにし
よう。PDFファイルを開いて、左上の4つの四角ボタンをタップすると、ページ一覧
画面が表示される。この画面でページを選択すると、上部のメニューで、ページの
追加や削除、抽出、コピー、ペーストといった編集が可能だ。またページ順の並べ
替えも、ドラッグ&ドロップで簡単に行える。他のPDFファイルからコピーしたペー
ジを貼り付けたり、複数のPDFファイルを結合することも可能だ。有料版の年額
は5,400円と少し高額だが、こうしたページ編集を仕事で使うことが多いなら、契
約しておいて損はない。

PDF ExpertでPDFファイル
を開いたら、左上の4つの四
角ボタンをタップしよう。ペー
ジの一覧がサムネイルで表
示される。PDFのページ操
作はこの画面で行う。

PDFページの追加や削除、並べ替えを行う

1 | ページのコピーや削除を行う

PDFページの操作メニュー

サムネイル画面を開くと、選択したページの操作を上部メニューで行える。コピーやペースト、回転、抽出、削除といったボタンが用意されている。

2 | 新しいページや別のPDFを追加、挿入する

挿入

新しいページは「挿入」ボタンで追加できる。「空白のページ」で空白や罫線付きのページを追加。「スキャンページ」で書類を撮影して取り込む。「他のファイル」は他のPDFファイルを挿入できる。

3 | 複数ページを選択する

選択

右上の「選択」ボタンをタップすると、複数ページの選択モードになる。ページをタップして選択していき、上部メニューでまとめて操作できる。

4 | ドラッグ&ドロップでページ順を並べ替える

ドラッグ&ドロップでページを移動

ページをロングタップするとそのページが浮き上がり、ドラッグ&ドロップでページ順の並べ替えができる。

コピーしたページを他のファイルに追加する

1 | 上部メニューから ペーストをタップ

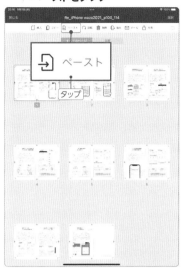

コピーしたページを他のPDFファイルに追加するには、追加したいページのサムネイル画面で、上部メニューの「ペースト」をタップ。

2 | 表示された空欄 をタップ

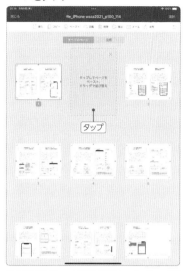

現在選択中のページの後ろに「タップしてページをペースト～」という空欄が表示されるので、これをタップする。

3 | コピーしたページが 追加された

空欄の位置に、コピーしておいたページが挿入された。ドラッグ&ドロップでページの入れ替えが可能だ。

PDFファイルを結合する

1 | ファイル画面で選択ボタンをタップ

PDFのページ単位ではなく、PDFファイル全体を結合したい場合は、まずファイルの一覧画面右上の「…」→「選択」をタップする。

2 | ファイルを選択して結合する

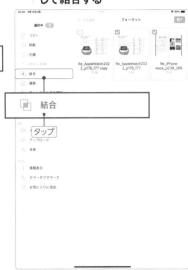

複数ファイルをタップして選択し、サイドメニューの「結合」をタップすれば、選択したPDFファイルがひとつに結合され、新しいPDFファイルとして保存できる。

使いこなし
ヒント

無料でページ編集するならPDF Viewer Pro

PDF ExpertでPDFページの編集を行うには、年額5,400円のサブスクリプション契約が必要だが、P168で紹介する「PDF Viewer Pro」なら、ページを入れ替えたり、複製したり、抽出するといったPDFのページ編集を無料で行える。ただし、他のPDFファイルからページを貼り付けたり、結合するのは、PDF Viewer Proでも有料機能だ。

PDF内の文章や画像を編集する

リンクの追加や機密情報の墨消し機能も利用できる

　P158で解説したPDFのページ編集と同様に、PDF Expertの有料版で使えるようになるのが、PDF内のテキストや画像の編集機能だ。PDFの書類内に誤字脱字を発見したり、取引先の住所が変わったといった場合に、iPadだけでサッと内容を修正できるようになる。編集ツールを利用するには、PDFファイルを開いて、上部メニューの「PDFを編集」をタップしよう。「テキスト」ツールを選択すると、PDF内の文章の書き換えや追記ができる。「画像」ツールでは、画像の差し替えやサイズ変更などを行える。「リンク」ツールでは、テキストや画像をタップした際に、書類内の別のページやWebサイトにジャンプするようリンクを追加可能。さらに「墨消し」は、他の人に書類を送る時に機密情報が見られないよう、テキストの一部をベタ塗りで隠したり、消去することができる重要な機能だ。

内容の変更も自由自在

PDFファイルを開いて「PDFを編集」タブを開くと、PDF内のテキストや画像の編集モードになる。テキスト、画像、リンク、墨消しの編集が可能だ。

PDF Expertのさまざまな編集機能

1 PDF内のテキストを編集する

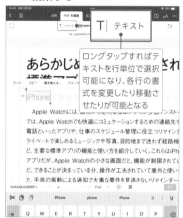

T テキスト

ロングタップすればテキストを行単位で選択可能になり、各行の書式を変更したり移動させたりが可能となる

上部メニューの「テキスト」をタップするとテキストの編集モードになる。PDF内のテキストをタップし、内容を書き換えたりフォントやサイズを変更できる。

2 PDF内の画像を編集する

画像

画像をタップして選択

「画像」をタップして画像の編集モードに。PDF内の画像をタップすると選択でき、画像の削除や挿入、サイズ変更、ドラッグして配置変更といった操作を行える。

3 テキストや画像にリンクを追加する

リンク

移動先...

テキストや画像をドラッグして選択し、選択した部分をタップ。メニューから「移動先」をタップし、リンク先のページやWebサイトを指定する

「リンク」をタップすると、選択したテキストや画像を、別のページやWebサイトとリンクできる。選択した部分のメニューから「移動先」で指定しよう。

4 機密情報を済消しする

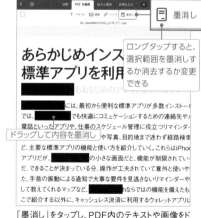

墨消し

ロングタップすると、選択範囲を墨消しするか消去するか変更できる

ドラッグして内容を墨消し

「墨消し」をタップし、PDF内のテキストや画像をドラッグすると、選択した範囲を墨消ししたり、消去して内容を隠すことができる。

PDFファイルに
メモページを追加する
さまざまな種類の空白ページを挿入できる

　これまでの記事で解説したとおり、PDF Expertを使えばPDFの書類や資料にメモや注釈、指示を細かく書き込めるのだが、もっと情報を多く書き込むためのフリースペースが欲しい場合は、新たに空白ページを挿入すればよい。会議で出た具体的なアイデアを関連ページの次に挿入した空白ページに記録したり、デザイン案を大きく描いたページを企画書に挿入するといった使い方ができる。ステージマネージャやSplit View、Slide Overなどで別のノートアプリを開いてもよいが、ひとつのPDFファイル内に情報がまとまっているメリットも重要だ。無地のページだけではなく、罫線入りや方眼紙などのページも挿入可能。ノートに高度な機能を求めないのなら、PDF Expertで新規作成した空白のPDFをノート代わりにし、書類や資料と一緒に一元管理するといった使い方もおすすめだ。

空白のPDFファイルを新規作成する

PDF Expertをノートアプリ代わりに使える

PDF Expertで右下の「＋」→「空白のPDF」をタップすると、空白のPDFファイルが作成される。ページが足りなくなったら自由に追加できるので、PDFの書類や資料とまとめて管理し、ノートアプリ代わりに利用しよう。

PDFの途中に空白のページを挿入する

1 | ページの編集画面で空白のページを挿入

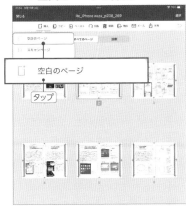

PDFファイルを開いたら、左上の4つの四角ボタンをタップし、ページの編集モードにする。続けて、上部メニューの「挿入」→「空白のページ」をタップしよう。

2 | 挿入する空白ページの種類を選択する

挿入する空白ページのタイプを選択し「完了」をタップ。左右にスワイプすると、方眼紙やグラフ用紙といった種類を選択できる。また、下部のボタンでカラーの変更も可能だ。

3 | 空白ページが挿入された

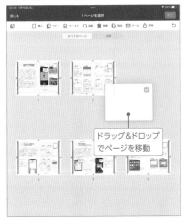

今開いているページの、次のページに空白ページが挿入される。空白ページを追加する場所は、ドラッグ&ドロップで自由に並べ替えが可能だ。

4 | 挿入したページにメモを書き込む

直前のページに関する注意書きや、ページ内に書ききれなかった註釈、ラフイメージなどは、新しい空白ページに入力して内容を整理しよう。

紙の書類や各種印刷物を
スキャンしてPDF化する

紙の書類もPDF Expertで一元管理しよう

　会議で配布された紙の書類や資料は、PDF Expertのスキャン機能を使って、即座にPDF化してしまおう。印刷された文字が読みやすいように明るさやコントラストが自動調整され、元からPDFファイルで配布されたような資料として保存できる。スキャンした資料は、新規ファイルとして保存することもできるし、既存のPDFファイルの途中に挿入することも可能だ。複数枚ある資料も、まとめてひとつのPDFファイルとして保存できる。ただ、PDF Expertでスキャンした書類はOCR処理されないので、PDF内のテキストをコピーできない。資料に書かれたテキストをコピーして利用したいなら、OCR機能を備えたAdobe ScanなどのアプリでPDF化するか、iPad標準の「テキスト認識表示」機能（P79で解説）を使い、資料を撮影して写真内のテキストをコピーすればよい。

既存のPDFファイルにスキャンした書類を追加する

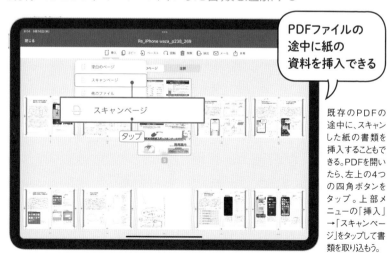

PDFファイルの途中に紙の資料を挿入できる

既存のPDFの途中に、スキャンした紙の書類を挿入することもできる。PDFを開いたら、左上の4つの四角ボタンをタップ。上部メニューの「挿入」→「スキャンページ」をタップして書類を取り込もう。

書類をスキャンしてPDFファイルとして保存する

1 | 「+」ボタンから スキャンをタップ

PDF Expertでマイファイル画面などを開き、右下の「+」→「スキャン」をタップすると、カメラが起動する。PDF化したい紙の書類にカメラを向けよう。

2 | カメラで書類を スキャンする

「手動」に切り替えると、シャッターボタンをタップして手動でスキャンできる

サムネイルをタップしてスキャンした書類を編集

保存 (2)

カメラに写った書類を検出し、自動的にスキャンされる。書類が複数枚ある場合は、次々に撮影してから、右下の「保存」でまとめて保存しよう。スキャンしたページを編集するには下部のサムネイルをタップ。

3 | スキャンした書類の 編集を行う

左からトリミング、フィルタ、回転、削除ボタン

撮影時のサムネイルをタップすると編集画面になる。必要に応じて、トリミング範囲の選択やフィルタの適用、画面の回転を行える。右上の「再撮影」で撮影のやり直しができ、左上の「完了」で元のスキャン画面に戻る。

4 | 書類がPDFファイル として保存される

紙の書類がPDFファイルになった

「保存」をタップすると、スキャンした複数のページがPDFファイルとして保存され、PDF Expertで一元管理できる。ファイルの「…」→「名称変更」で、分かりやすい名前に変更しておこう。

無料で使えるおすすめ
PDFアプリを利用しよう

PDFページの編集も無料でできる

　P144から紹介している「PDF Expert」は優秀なPDFアプリだが、PDFの
ページや内容を本格的に編集するには、年額5,400円という安くない金額を支
払う必要がある。無料でPDFを編集したいなら、「PDF Viewer Pro by
PSPDFKit」を使ってみよう。「PDF Expert」の無料版ではできない、PDFペー
ジの並べ替えや新規ページの追加などができる。注釈機能も「PDF Expert」と
比べて遜色なく、指を反応させずにApple Pencilでのみ注釈を書き込める機能
なども備えていて便利だ。ただし、やや動作が重いことがあるので、PDFに注釈を
書き込むだけなら、動作が軽く安定している「PDF Expert」の方が快適に作業
できる。また、他のPDFファイルを結合したり、他のPDFファイルのページをコピー
して挿入するといった編集を行うには、3か月800円または年間2,300円のPro
機能の購入が必要だ。

Apple Pencil
だけで注釈を
書き込める

**PDF Viewer Pro by
PSPDFKit**
作者 PSPDFKit GmbH
価格 無料

Apple Pencilがあるなら、注
釈メニューのApple Pencil
ボタンをタップして、「注釈に
Apple Pencilのみを使用」
をオンにしておこう。PDFへ
の書き込みは指だと反応せ
ず、Apple Pencilでのみ反
応するようになる。

PDF Viewer Pro by PSPDFKitの基本操作

1 | ブラウズ画面でフォルダを開く

メイン画面を左から右にスワイプしてサイドメニューを開くと、「場所」欄に表示されたクラウドやアプリからPDFファイルを開くことができる。「PDF Expert」内のPDFも参照できる。

2 | ペンとマーカーでPDFに書き込む

上部メニューの鉛筆ボタンで注釈モード。ペンツールはペン1本とマーカー1本が用意されているが、マーカーの不透明度を100%にして太さを調整すれば、2本目のペンとして利用できる。

3 | PDFページを編集するには

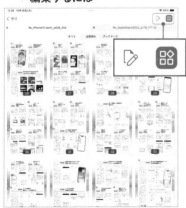

PDFファイルを開いたら、画面右上の四角が4つ集まったボタンをタップするとページ一覧画面が表示されるので、続けて隣の編集ボタンをタップしよう。PDFページの編集モードになる。

4 | ページの入れ替えや追加、削除ができる

ページをロングタップすると、ドラッグして表示順を入れ替えできる。また上部メニューで新規ページの追加、削除、コピー、回転、抽出などを行える。「P」が付いたボタンはPro版の機能。

オフィス文書やWebサイトを PDF化する

PDFならレイアウトが崩れずWebページ丸ごと保存も可能

　WordやExcelで作成した書類をそのまま送ると、相手の環境によってはレイアウトが崩れて表示されてしまう。相手が編集する必要がなければ、WordやExcelはPDF形式に変換して送信しよう。PDFファイルならほとんどのデバイスで問題なく表示でき、レイアウトも崩れない。Microsoft 365のサブスクリプションを契約済みであれば、公式のWordやExcelアプリ（P116で紹介）で簡単にPDF形式に変換できる。また、Webページを保存したい場合もPDF化が便利だ。こちらはiPadOS標準の機能で、画面に表示されてない部分も含めて丸ごとひとつのページとしてPDF形式で保存でき、そのままマークアップ機能で注釈なども書き込める。

WordやExcel文書をPDFに変換する

1 エクスポートで PDFを選択

Wordアプリの場合は、PDF化したいオフィス文書を開いたら、右上の「…」ボタンをタップ。続けて「エクスポート」→「PDF」をタップしよう。

2 保存先を指定して PDF形式に変換

ファイル名を付け、「自分のiPad」や「ファイルアプリ」などから保存先を選択したら、右上の「エクスポート」でPDF形式に変換できる。

マークアップ機能でWebページをPDF保存する

1 | Safariでマークアップをタップ

WebページをPDF化する方法は2つある。まず、SafariでPDF化したいWebページを開いたら、上部の共有ボタンから「マークアップ」をタップしよう。

2 | PDF化されたページを保存する

これだけで、スクロールしないと表示されない部分も含めてWebページ全体がPDF化され、マークアップで注釈も書き込める。上部の「完了」→「ファイルを保存」で好きな場所に保存しよう。

スクリーンショットからWebページをPDF保存する

1 | スクリーンショット撮影時のサムネイルをタップ

PDF化したいWebサイトを開いたら、電源ボタンと音量ボタンの上下どちらか（ホームボタン搭載機種は電源ボタンとホームボタン）を同時に押してスクリーンショットを撮影し、左下に表示されるサムネイルをタップ

もうひとつ、WebページのスクリーンショットからでもWebページ全体をPDF化できる。スクリーンショットの撮影時に数秒表示される、左下のサムネイルをタップしよう。

2 | フルページに変更してPDF形式で保存

スクリーンショットの編集画面で、上部のタブを「フルページ」に切り替えると、表示されない部分も含めたWebページ全体がPDF化される。あとは「完了」→「PDFを"ファイル"に保存」で保存。

PDFアプリに手書きノートが備わったFlexcilを使う

複数のPDFの内容を1冊のノートにまとめて整理

　仕事で必要な資料や論文などを読み込んで自分なりに整理したいときに、とにかく使いやすいアプリが「Flexcil」だ。PDFに注釈を書き込んだりページ順を変更できるPDF編集アプリとしても優秀だが、さらに便利なのが、PDFを表示しながら手書きノートを作成できる点。PDFを読みながら同じ画面にノートを呼び出し、PDF内のテキストや画像をノート内にドラッグしてメモできるのだ。同じようなことはiPadOS標準のクイックメモ機能（P20で解説）を使えば可能だが、Flexcilの場合は、ノートにまとめたPDFのテキストや画像と、PDFの該当箇所が、相互にリンクするようになっているのがポイント。PDFのリンクをタップしてノートのまとめ箇所を開いたり、ノートのリンクをタップして参考元のPDFページを開くといったことを素早く行えるのだ。必要な項目をノートに羅列しておいて、タップするだけでいつでも元の資料を参照できるので、プレゼンの作成などもはかどるはずだ。なお、PDFだけでなくWordやPowerPointの書類も読み込める。

PDFの内容と手書き
ノートのメモがリンク

Flexcil Note & Good PDF Reader
作者 Flexcil Inc.
価格 無料

PDFと同じ画面でノートを開き、PDF内のテキストや画像をノートのメモとリンクできる、学習やまとめ資料の作成にピッタリのアプリ。無料版だと本当に基本的な機能しか使えないので、気に入ったらスタンダード版を購入しよう。価格は1,500円の買い切りで、15日間は無料で試用できる。

PDFを見ながらメモをとってリンクする

1 PDFに手書きで注釈を加える

PDFを開いたら、ページ内上部の注釈ツールで左端のボタンをタップすると、ペンやカラーを選択してPDFに手書きで注釈を書き込める。また左上の4つの四角ボタンでPDFのページを編集できる。

2 PDFを見ながらノートを呼び出す

左上のノートボタンをタップするか、3本指で上にスワイプするとノートが表示される。ノート左上の4つの四角ボタンをタップすると、別のノートやPDFの表示に切り替えできる。

3 ドラッグ&ドロップでノートにメモ

注釈ツールを選択していない状態で、Apple PencilでPDF内のテキストや画像を囲むと、ノート内にドラッグして貼り付けできる。貼り付けたテキストや画像にはリンクが設定される。

4 リンクボタンでリンク先を参照する

PDFやノートのリンクボタンをタップすると、それぞれのリンク先が表示されるので、何についてまとめた内容かすぐに分かる。PDFとPDF、ノートとノートのリンクも可能だ。

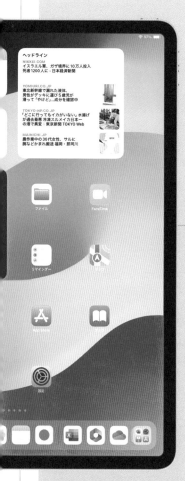

iPadとiPhoneの連携機能を利用する

iPadとiPhoneの両方を持っているユーザーは、ぜひここで解説する連携機能を使ってみよう。作業を相互に受け渡したり、iPadでiPhoneの電話に応答するなど、2つのデバイスをシームレスにつなぐ便利な機能ばかりだ。

HandoffでiPhoneと作業を
相互に引き継ぐ

　iPadOSおよびiOSには、双方の端末でやりかけの作業を引き継げる、「Handoff」機能が搭載されている。例えば、移動中にiPhoneで書いていたメールを、帰宅してからiPadで開いて続きを書く、といったことが簡単にできるのだ。アプリ側がHandoffに対応している必要があるが、Appleの純正アプリであれば問題なく利用できる。なお、本機能を使うには、同じApple IDを使ってiCloudにサインインしており、BluetoothとWi-Fiの両方がオンになっていて、「設定」→「一般」→「AirPlayとHandoff」→「Handoff」がオンになっている必要がある。

1 | Handoffが使える よう設定しておく

オンにする

iPadとiPhoneの双方で、同じApple IDを使ってiCloudにサインインし、BluetoothとWi-Fiの両方をオン。さらに、「設定」→「一般」→「AirPlayとHandoff」→「Handoff」をオンにする。

2 | Dockにアイコンが 表示される

タップしてiPadで作業を再開する

iPhoneでメールを作成すると、iPadのDockには、Handoffのマークが付いたメールのアイコンが表示される。これをタップすればすぐに作業の引き継ぎが可能だ。

使いこなしヒント **iPadからiPhoneへ引き継ぐ場合は?**

iPadの作業をiPhoneで引き継ぎたい場合は、iPhone側でAppスイッチャー画面を表示しよう。画面の下の方にiPadで作業中のアプリ名のバナーが表示されるので、これをタップすれば、作業を引き継いで再開できる。

iPhoneにかかってきた電話に
iPadで応答する

　iPadの操作中、隣の部屋にあるiPhoneに電話がかかってきた……という時は、わざわざiPhoneを取りにいかなくても、iPadで応答できるので覚えておこう。いくつか設定が必要で、まず両方の端末で同じApple IDでサインインし、同じWi-Fiネットワークに接続する必要がある。またiPhone側では、「設定」→「電話」→「ほかのデバイスでの通話」→「ほかのデバイスでの通話を許可」をオンにし、その下の端末一覧でiPadのスイッチもオンにする。iPad側では、「設定」→「FaceTime」→「iPhoneから通話」をオンにしておこう。

1 iPhone側の通話設定

iPhoneでは「設定」→「電話」→「ほかのデバイスでの通話」→「ほかのデバイスでの通話を許可」をオン、その下の「通話を許可」の「iPad」もオンに。

2 iPad側の通話設定

iPadでは「設定」→「FaceTime」→「iPhoneから通話」をオンにしておく。これで、iPhoneにかかってきた電話がiPadでも着信し、手元のiPadで応答できるようになる。

使いこなしヒント

FaceTime着信は応答する端末の使い分けもできる

FaceTime通話を着信した場合も、同じApple IDでサインしていれば、iPhoneとiPadの両方で着信音が鳴る。ただFaceTimeの場合は、iPhoneとiPadで着信用アドレスを変えておくことで、相手によって応答する端末を使い分けることが可能だ。

iPadでもSMSのメッセージを チェックする

iPadのメッセージアプリは基本的にiMessageしか扱えず、SMSを使ってAndroidなどとやり取りすることはできない。ただし、iPhoneを持っているなら話は別。iPhoneに届いたSMSを転送してiPadでも送受信が可能になる。iPadを使っている時にわざわざiPhoneを取り出してSMSを確認しなくて済むので、転送の設定を済ませておこう。まず、iPadとiPhoneで同じApple IDでサインインしていることが利用条件だ。メッセージの着信用連絡先にiPhoneの電話番号を登録して、あとはiPhone側で下記の通り設定を済ませよう。

1 iPad側の メッセージ設定

電話番号にチェック

iPadで「設定」→「メッセージ」を開き、Apple IDでサインイン。「送受信」をタップして、送受信アドレス欄のiPhoneの電話番号にチェックしておく。

2 iPhone側の メッセージ設定

連絡先の写真を表示

"メッセージ"で連絡先の〔タップ〕ます。

SMS/MMS転送   1個のデバイス >

同じiMessageアカウントにサインインしている他のデバイスでもお使いのiPhoneのSMS/MMSを送受信できるように許可します。

「SMS/MMS転送」の項目が表示されない場合、同じ画面の「iMessage」項目をオフにして再度オンにするといい。Macを使っている場合は、メッセージアプリの設定で一旦Apple IDからサインアウトしてサインイン直そう

iPhoneでは「設定」→「メッセージ」→「SMS/MMS転送」をタップし、転送したいiPad名のスイッチをオンにしておく。

 使いこなし ヒント

メッセージをiCloudに保存して同期するには

iPadでもSMSをやり取りするなら、メッセージの同期を有効にしておこう。iPhoneとiPadの両方で、「設定」の一番上にあるApple IDを開き、「iCloud」→「すべてを表示」→「メッセージ」をオンにする。これでiCloudにメッセージの履歴が保存され、最新の状態で同期できる。

iPhoneとクリップボードを
共有する

　iPhoneとiPadを両方持っている人は、「ユニバーサルクリップボード」機能でクリップボードを共有できる事を知っておくと、さまざまな作業をスムーズに行えるはずだ。例えば、長文入力が楽なiPadで文章を仕上げてコピーすれば、iPhone側ではLINEなどにすぐ貼り付けできる。また、iPhone内にしかない写真をiPadのメモに貼り付けたい場合も、iPhoneで写真をコピーして、iPadのメモに貼り付けるだけでいい。P175で紹介した「Handoff」が使える状態なら、ユニバーサルクリップボード機能も使えるようになっている。

1　Handoffが使える
よう設定しておく

まずはiPadとiPhoneの双方で、同じApple IDを使ってiCloudにサインインし、BluetoothとWi-Fiの両方をオン、「設定」→「一般」→「AirPlayとHandoff」→「Handoff」がオンになっていることを確認しておく。確認が終わったら、iPadでテキストや写真をコピーしよう。

2　iPadでコピーして
iPhoneにペースト

iPadでコピーしたテキストや写真は、iPhone側で「ペースト」をタップするだけで貼り付けることができる。

Macともクリップボードを共有できる

iPadはMacともクリップボード共有が可能だ。Mac側でiPadと同じApple IDでサインインし、BluetoothとWi-Fiをオンにしたら、Appleメニューから「システム設定」→「一般」→「AirDropとHandoff」→「このMacとiCloudデバイス間でのHandoffを許可」をオンにしよう。

iPhoneのモバイルデータ通信を使ってネット接続する

Wi-FiモデルのiPadを外出先でネット接続するには、Wi-Fiスポットやモバイルルータが必要となる。しかしiPhoneを持っていて、iPhoneで契約している通信キャリアでインターネットの共有機能（テザリング）が使える設定になっていれば、iPhoneのモバイル回線を経由してiPadをネット接続することが可能だ。iPhoneとiPadのテザリングは「Instant Hotspot」機能により、パスワードも不要でワンタップ接続できる。またiPhoneとの接続時は自動で省データモードになり、一定時間通信が行われないとテザリングは自動でオフになる。

1 | Wi-Fi設定画面で iPhone名をタップ

iPadとテザリング契約中のiPhoneの双方で、同じApple IDを使ってiCloudにサインインし、BluetoothとWi-Fiをオンにしておけば、iPadの「設定」→「Wi-Fi」欄に自分のiPhone名が表示される。このiPhone名をタップしよう。

2 | iPhone経由で ネットに接続した

Instant Hotspotでの接続中、iPadには上記のようなステータスアイコンが表示される。また、iPhoneのDynamic Islandや時刻表示部分、ステータスバーもテザリング中の表示になる。

使いこなしヒント

省データモードをオフにする

テザリング中のiPadでも写真の同期や自動アップデートを行いたい場合は、省データモードをオフにしよう。iPadの「設定」→「Wi-Fi」で接続中のiPhone名をタップし、「省データモード」のスイッチをオフにするだけでよい。

Androidの
モバイル
データ通信を
使ってネット
接続する

P179で解説したテザリングによるインターネット共有は、iPhoneとiPadの組み合わせだけで使える機能ではない。通信キャリアとテザリング契約を済ませたAndroidスマートフォンを持っていれば、Androidスマートフォンのモバイル回線を利用して、iPadをネット接続することも可能だ。ただし「Instant Hotspot」機能には対応しないので、ワンタップで手軽に接続できるわけではない。あらかじめAndroid側でテザリング機能を有効にし、パスワードを確認した上で、iPad側でパスワードを入力して接続する必要がある。

1 | Androidデバイスで テザリングをオン

機種によって若干設定が異なる場合があるが、「設定」→「ネットワークとインターネット」→「テザリング」で「Wi-Fiテザリング」をオンにしておく。

2 | ネットワーク名と パスワードを確認

ネットワーク名（SSID）とパスワードを確認しておく。それぞれの項目をタップして自由に変更することもできる。

3 | iPad側でパスワード を入力して接続

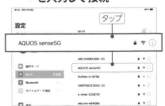

iPadで「設定」→「Wi-Fi」を開き、Androidで確認、設定したネットワーク名をタップする。続けてパスワードを入力し、「接続」をタップすればよい。

クラウドと
ファイル管理
の仕事技

パソコン上のファイルをいつでもiPadで扱えるようにする

デスクトップなどのファイルを自動で同期させよう

　会社のパソコンに保存している書類をiPadで確認したり、途中だった作業をiPadで再開したい場合は、会社のパソコンがMacであれば非常に簡単だ。iCloud Driveの同期設定で「"デスクトップ" フォルダと "書類" フォルダ」をオンにしておくだけで、デスクトップと書類フォルダの保存場所がiCloud Drive上に変更され、iPadでもデスクトップや書類フォルダにあるファイルにアクセスしてシームレスに作業できるのだ。Windowsパソコンの場合はこの機能が使えないので、「Googleドライブ」の同期機能を利用しよう。パソコン版Googleドライブの設定で「パソコン上のフォルダ」からデスクトップなど自動で同期したいフォルダを選択しておくと、iPadでもGoogleドライブアプリを使って、いつでもWindowsパソコンのデスクトップ上にあるファイルにアクセスできる。

Macのデスクトップと書類の保存先をiCloud Driveにする

1　Macのシステム設定でiCloud Driveをクリック

Macのデスクトップや書類にあるファイルを自動同期するには、まずAppleメニューの「システム設定」で一番上のApple IDをクリックし、「iCloud」→「iCloud Drive」をクリックする。

2　デスクトップと書類の同期設定にチェックする

「"デスクトップ"フォルダと"書類"フォルダ」のスイッチをオンにしよう。これで、Macの「デスクトップ」フォルダと「書類」フォルダの保存場所がiCloud Driveに移動する。

1 デスクトップにあった ファイルが移動する

> このフォルダの中に元のデスクトップ にあったファイルが保存されている。 iCloudの「デスクトップ」フォルダ内に 「デスクトップ - MacBook」フォルダ が作成された状態だ

デスクトップ上に元々あったファイルは、デスクトップ上に新しく「デスクトップ - MacBook」といった名前のフォルダが作成され、その中にまとめて保存される。書類フォルダにあったファイルも同様に、書類フォルダの中に新しくフォルダが作成され保存されている。

2 通常通りデスクトップに ファイルを置く

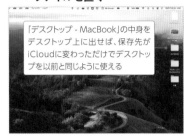

> 「デスクトップ - MacBook」の中身を デスクトップ上に出せば、保存先が iCloudに変わっただけでデスクトップを以前と同じように使える

「デスクトップ - MacBook」フォルダの中身をデスクトップに出したら、あとは作業中のフォルダを置いたり、添付ファイルを保存したり、デスクトップを同期前と同じように利用すればよい。書類フォルダも同様に中身を出しておこう。

3 デスクトップのファイルが iCloud Driveに保存される

> Finderのサイドバー のiCloud欄にも「デ スクトップ」と「書類」 が追加される

今後はデスクトップ上や「書類」にファイルを置いた場合、そのファイルの保存先はiCloud Driveになる。Finderのサイドバーのicloud欄に追加される「デスクトップ」と「書類」からアクセスすることも可能だ。ファイルを削除するとicloud上からも消える。

4 iPadからデスクトップ や書類にアクセスする

> Macで同期されている「デスク トップ」と「書類」フォルダ

iPadでは、「ファイル」アプリを起動してiCloud Driveを開こう。「デスクトップ」や「書類」フォルダを開くと、Macで保存したファイルが表示される。これで、Macのデスクトップや書類フォルダにあるファイルにいつでもアクセス可能になる。

デスクトップと書類の同期をオフにするとどうなる?

「"デスクトップ"フォルダと"書類"フォルダ」の機能をオフにすると、デスクトップや書類フォルダの保存先が、iCloud DriveからMacのストレージに戻る。この時「デスクトップ」と「書類」フォルダの中身がいったん空になるが、iCloud Drive上にデスクトップや書類フォルダのデータが残っているので、コピーし直せばよい。

1 パソコン版Google ドライブの設定を開く

Windowsパソコンのデスクトップなどを自動同期するには、まず「パソコン版 Googleドライブ」(https://www.google.com/intl/ja_jp/drive/download/)をパソコンにインストール。タスクトレイからGoogleドライブアイコンをクリックし、歯車ボタンから「設定」をクリックしよう。

2 フォルダを追加を クリックする

Googleドライブの設定画面が開く。左メニューで「パソコン上のフォルダ」を選択し、続けて「フォルダを追加」をクリックしよう。

3 同期するフォルダを 選択する

Googleドライブと自動で同期させるパソコン上のフォルダを選択しよう。ここでは「デスクトップ」を選択しておく。

4 Googleドライブと 同期するにチェック

「Googleドライブと同期する」にチェック。なお「Googleフォトにバックアップ」を選ぶと写真と動画のみをアップロードし同期もされない

続けて表示される画面で「Googleドライブと同期する」にチェックして「完了」をクリックしよう。以上で、パソコンのデスクトップとクラウド上のGoogleドライブが自動で同期するようになる。

 Dropboxでもデスクトップのファイルを同期できる?

定番のクラウドサービスであるDropboxでも、以前は「Backup」機能を設定することでデスクトップやドキュメントフォルダを丸ごと自動同期でき、iPadでもDropboxアプリからパソコンのデスクトップに保存されたファイルを開いて編集することが可能だった。しかし現在は「Backup」機能のバックアップ先が変わってしまい、Webからでないとバックアップされたデスクトップなどのファイルを確認できず、ファイルを直接編集することもできなくなっている。

1 Googleドライブアプリ でアクセスする

 Googleドライブ
Google LLC
無料

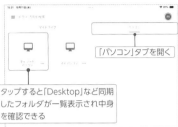

「パソコン」タブを開く

タップすると「Desktop」など同期したフォルダが一覧表示され中身を確認できる

iPadでGoogleドライブアプリを起動し、下部メニューで「ファイル」を選択。上部のタブを「パソコン」に切り替えると、同期した「マイパソコン」や「マイノートパソコン」が表示される。これをタップして開くと、会社のパソコンでデスクトップなどに保存した書類を確認できる。

2 Googleドキュメント などをインストール

 Googleドキュメント
Google LLC
無料

  Googleスプレッドシート
Google LLC
無料

Googleドキュメントや Googleスプレッドシートをインストールしてから WordやExcelファイルをタップ

Googleドライブアプリからワードやエクセルファイルを開くには、あらかじめ「Googleドキュメント」や「Googleスプレッドシート」アプリのインストールが必要となる。インストールを済ませたら、Googleドライブアプリからワードやエクセルファイルをタップしよう。

3 デスクトップ上の WordやExcelを編集

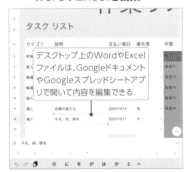

タスク リスト

デスクトップ上のWordやExcelファイルは、Googleドキュメントやスプレッドシートアプリで開いて内容を編集できる

WordファイルはGoogleドキュメントで、ExcelファイルはGoogleスプレッドシートで開き、それぞれ内容を編集できる。レイアウトが崩れる場合は、Googleドライブアプリでファイル名の「…」→「アプリで開く」をタップし、WordやExcelの公式アプリで開こう。ただし読み取り専用で開くので、内容を編集するには別の場所にコピーを保存する必要がある。

4 デスクトップ上の PDFを編集する

接続先を追加

PDF Expertの場合は「接続先を追加」→「Googleドライブ」で連携できる

iPad版のGoogleドライブアプリではPDFを直接編集できない。パソコンのデスクトップにあるPDFを編集したい場合は、「PDF Expert」（P144で解説）などで接続先にGoogleドライブを追加しておき、アプリ側からGoogleドライブにアクセスしてPDFを開こう。

iPadで扱うファイルは
すべてDocumentsで管理しよう

標準の「ファイル」より便利なファイル管理アプリ

　iPadには、端末内のファイルを管理する「ファイル」アプリが標準で用意されている。iCloudや他の標準アプリとの親和性も高く、iPadをパソコンライクに使える便利なアプリだが、写真ライブラリに直接アクセスできなかったり、ZIP以外をうまく解凍できない場合が多いなど、機能的にやや物足りない。また、クラウドサービスの公式アプリをインストールしないと、ファイルアプリからクラウドに直接アクセスできない点も面倒だ。そこで、iPadで扱う仕事データの管理は、より多機能な「Documents」にまかせよう。Documentsなら、写真アプリ内の写真やビデオも管理できるほか、主要なクラウドサービスを追加したり、FTPサーバなどにも接続できる。さまざまなファイル形式を表示できるマルチビューアとしても優秀だ。まずは、メールの添付ファイルや、クラウドにアップしたファイルを、「Documents」にすべて集めて一元管理しよう。集めたファイルは、別のアプリに受け渡したり、他のユーザーと共有したり、パソコンに転送したりと、iPadが仕事データのハブとして活躍するはずだ。

Documents
作者 Readdle
Technologies Limited
価格 無料

iPadのファイル管理には、標準の「ファイル」よりも多機能な「Documents」がおすすめ。iPadで扱う仕事ファイルはすべてこのアプリにまとめておこう。

1 写真へのアクセスを許可する

「フルアクセス」にチェック

Documentsで写真ライブラリにアクセスするには、まずiPadの「設定」→「Documents」→「写真」→「フルアクセス」にチェックしておく。

2 Documentsで写真ライブラリを開く

タップ

↓

Documentsの「マイファイル」→「写真ライブラリ」をタップして開くと、写真アプリの写真やビデオに直接アクセスできる。ビデオをピクチャインピクチャで再生しながら他のアプリを操作することも可能。

3 Dropboxなどクラウドの接続先を追加する

＋ 接続先を追加

↓

タップ

サイドメニューの「接続先を追加」をタップすると、Documentsにアカウントを追加できるクラウドやサーバが一覧表示される。ここでは「Dropbox」をタップ。

4 追加したクラウドにアクセスする

nishikawa mare

画面の指示に従い、Documentsとの連携を許可すると、追加したクラウドが左メニューの「接続先」に表示される。タップするとそのクラウドに保存されたファイルが一覧表示される。

1 写真ライブラリから写真を保存する

写真アプリのライブラリで写真を開き、「…」→「Documentsに保存」でマイファイルなどに保存できる。上部のマークアップボタンで写真内に書き込んだり、PDFボタンでPDF形式に変換することも可能だ。

2 クラウドからファイルをダウンロードする

「接続先」からDropboxなどのクラウドにアクセスし、ファイルやフォルダの「…」→「Documentsに保存」をタップすると、「マイファイル」の「Inbox」フォルダにファイルが保存される。

3 メールの添付ファイルを保存する

メールの添付ファイルは、ロングタップして「共有」→「Documents」で保存できる。共有メニューにアイコンがない時は、「その他」の候補から「Documents」を追加しておこう。

4 内蔵Webブラウザでリンク先や表示中のページを保存する

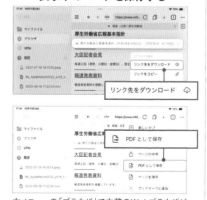

左メニューの「ブラウザ」で内蔵のWebブラウザが使える。ファイルのリンクをロングタップして「リンク先をダウンロード」で保存したり、「…」→「PDFとして保存」で表示中のWebページをPDF化して保存できる。

1 新規フォルダや ファイルの作成

画面右下の「+」ボタンをタップして、新規フォルダやPDF、テキストファイルを作成できる。カメラで撮影して書類をスキャンすることも可能。

2 ファイルを 削除する

ファイルやフォルダの「…」ボタンをタップして「削除」をタップすると、そのファイルやフォルダを削除できる。

3 ファイルを添付して メールを送る

ファイルの「…」ボタンから「メール」をタップすると、そのファイルを添付したメールを作成できる。フォルダの場合はZIPで圧縮して添付される。

4 ファイルを アップロードする

ファイルの「…」ボタンから「アップロード」をタップすると、追加済みのクラウドやサーバにファイルをアップロードできる。

1 複数のファイルを選択する

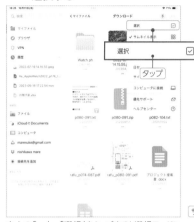

右上の「…」→「選択」をタップすると選択モードになる。複数のファイルをタップしてチェックを入れていこう。

2 複数選択したファイルを操作する

サイドメニューで操作を選択

複数ファイルを選択した時はサイドメニューが表示され、コピーや移動、削除といった操作を行える。ロングタップして左メニューにドラッグし、まとめて他のフォルダに移動することも可能。

3 iPadの標準操作でも複数選択できる

他のクラウドやフォルダにドラッグして移動できる

iPadの標準操作でも複数のファイルを選択できる。ひとつのファイルをロングタップして浮かび上がったら少し動かし、そのまま他の指で別のファイルを選択していこう。まとめてドラッグ&ドロップで操作できる。

4 マルチタスク機能でファイルを渡す

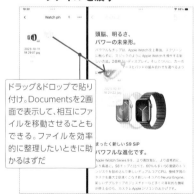

ドラッグ&ドロップで貼り付け。Documentsを2画面で表示して、相互にファイルを移動させることもできる。ファイルを効率的に整理したいときに助かるはずだ

ステージマネージャやSplit View、Slide Overにも対応しているので、他のアプリにドラッグ&ドロップでファイルを受け渡せる。例えばPagesで作成中の書類に、Documentsから画像などをドラッグして貼り付けることが可能だ。

1 ファイルやフォルダを圧縮する

ファイルやフォルダの「…」→「圧縮」をタップすると、ZIP形式で圧縮したファイルが作成される。複数のファイルを圧縮するには、ファイルを選択して、サイドメニューの「圧縮」をタップすればよい。

2 解凍は圧縮ファイルをタップするだけ

圧縮ファイルはタップするだけで、そのファイル名が付いたフォルダが作成され中身が解凍される。ZIP以外にRARファイルも解凍できるほか、パスワード付きファイルの解凍にも対応する。

使いこなしヒント

Googleドライブのフォルダを同期させる

Documentsには、クラウドサービスの任意のフォルダをiPad内にダウンロード保存し、オフラインでもアクセス可能にする「同期フォルダ」という便利な機能がある。オフライン時に変更を加えたファイルは、次回オンラインになった時に自動で同期される仕組み。これを利用して、Googleドライブで同期したパソコンのデスクトップなど(P184から解説)を同期フォルダに設定しておけば、パソコンのデスクトップにあるファイルを、オフライン時でもiPad上で扱える。ただし、すべてのファイルをiPadに保存することになるので容量には注意しよう。

P184の手順でパソコンのデスクトップとGoogleドライブを同期しておくと、DocumentsではGoogleドライブの「コンピュータ」→「マイパソコン」でデスクトップフォルダを確認できる。フォルダの「…」→「同期」をタップ

↓

マイファイルに「同期フォルダ」が作成され、選択したGoogleドライブのフォルダがダウンロードされる。オフラインでも自由にアクセスして編集でき、次回オンラインになった時に自動で同期される

Dropboxのフォルダを他のユーザーと共有する

グループでファイルを共同管理しよう

　仕事で同じファイルを他のユーザーと共有したい時に便利なのが、Dropboxの共有フォルダ機能だ。まずはDropboxアプリをインストールして、共有したいフォルダを選択し、メールなどで他のユーザーを招待しよう。招待された相手がDropboxで共有フォルダを追加すると、フォルダ内のファイルを共有できるようになる。共有相手には、ファイルの編集権限を与えるか、閲覧のみ許可するかも選択可能だ。この共有フォルダは、P191で解説しているように、Documentsとの同期フォルダに設定しておこう。これで、iPadからはオフラインでも共有フォルダの中身を確認できるとともに、オンライン時はリアルタイムで同期されて、常に最新のファイルにアクセスできるようになる。

Dropboxアプリで共有フォルダを作成

1 Dropboxアプリで共有をタップ

Dropbox
作者 Dropbox
価格 無料

まず、Dropboxアプリで共有フォルダを作成しておこう。他のユーザーと共有したいフォルダの、「…」→「共有」→「フォルダに招待」をタップする。

2 ユーザーを追加して共有する

メールアドレスなどを入力して「共有」をタップ。相手が招待に応じて、共有フォルダをDropboxに追加すれば、このフォルダの内容を共有できる。

1 共有フォルダを確認する

共有フォルダ

DocumentsでDropboxにアクセスし、共有したフォルダを確認しよう。共有フォルダには人の形のシルエットが表示されている。

2 共有フォルダを同期フォルダにする

タップ

同期

共有フォルダは「同期フォルダ」に設定しておくと便利だ。共有フォルダの「…」をタップし、開いたメニューから「同期」をタップしておこう。

3 「同期フォルダ」に保存される

マイファイルの「同期フォルダ」内に共有フォルダが作成される。ここで編集したファイルは、オンライン時にDropboxの共有フォルダと同期され、他のユーザーが編集した内容も反映される。

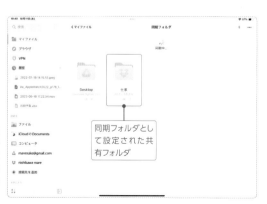

同期フォルダとして設定された共有フォルダ

クラウド経由で大きい
ファイルを送信する

Dropboxの共有リンクや、iCloudのMail Dropで送ろう

　書類や画像などを相手に送りたい時は、数MB程度のサイズならメールに添付すればよいが、まとめて数百MBを超えるサイズになってしまうとメールには添付できない。そんな時は、ファイルを一度クラウドサービスにアップロードして、その保存先リンクを相手に知らせてダウンロードしてもらう方法が最適。Dropboxの場合は、公式アプリで共有したいフォルダやアプリを選び、「…」→「共有」→「リンクを共有」で共有リンクを作成できる。このリンクを受け取った相手は、Dropboxにログインしなくてもファイルの閲覧やダウンロードが可能だ。また標準のメールアプリを使っているなら、大容量のファイルもそのまま添付して送信ボタンをタップすればよい。添付ファイルのサイズが大きすぎると、「Mail Dropを使用」というメニューが表示されるのでこれをタップ。ファイルはiCloudに一時的にアップロードされ、相手にはダウンロードリンクのみが送信される。アップロードされたファイルは最大30日間保存されるので、相手は30日以内ならいつでもリンクをクリックして、ファイルをダウンロードすることができる。

Dropboxの共有
リンクで送信する

Dropboxの公式アプリで共有したいフォルダやアプリを選び、「…」→「共有」→「リンクを共有」をタップ。共有リンクがコピーされるので、メールなどに貼り付けて共有したい相手に知らせよう。

iCloudの「Mail Drop」
機能で送信する

標準メールアプリで、大容量のファイルを添付して送信ボタンをタップすると、「Mail Dropを使用」と表示される。これをタップすると、ファイルはiCloudに保存され、相手にはダウンロード先のリンクのみ送信する。

操作自動化
の仕事技

いつもの操作をワンタップで実行するショートカット

複数の操作を一括処理して時間を節約しよう

　iPadで行う複数の操作をまとめて自動実行するための標準アプリが「ショートカット」だ。標準アプリとの連携はもちろん、X（旧Twitter）やEvernote、Dropboxなど、一部の他社製アプリと連携させることもできる。まずはショートカットアプリの「ギャラリー」画面を開いてみよう。「ミーティング中は消音にする」「自宅への経路を検索」といったショートカットが最初から用意されており、どんな事ができるかイメージできるはずだ。これらをそのまま利用してもいいし、アクションを追加したり修正して自分で使いやすいよう改良してもいい。変数や正規表現を使ってもっと複雑な処理を行うショートカットを自作することもできる。ショートカットで省略できる時間は1回につきわずか数秒でも、積み重なれば時短の効果は絶大で、ルーティーン操作のストレスも大きく軽減されるはずだ。

ショートカットはウィジェットなどから実行できる

ロングタップして「ウィジェットを編集」で、表示させるショートカットのフォルダを選択できる

ショートカットは、作成したアイコンのタップや共有メニューの選択、Siriへの呼びかけのほか、ウィジェットからも実行できる。ウィジェットはホーム画面の好きな場所に配置できるので、よく使うショートカットをフォルダに振り分けておいて、ウィジェットの編集でそのフォルダだけ表示させておくと使いやすい。またロック画面にショートカットウィジェットを配置し、ロック画面から指定したショートカットを実行することもできる。

「ショートカット」の機能と画面の見方

1 | サイドメニューを開く

ショートカットアプリを起動し、左から右にスワイプするとサイドメニューが開く。左下のフォルダボタンをタップすると、フォルダを作成してショートカットを整理できる。「編集」でフォルダの削除や並べ替えが可能だ。

2 | ギャラリーからショートカットを取得

サイドメニューで「ギャラリー」をタップすると、あらかじめ用意されたショートカットが一覧表示される。まずはこれらのショートカットを追加して使ってみるのがいいだろう。

3 | すべてのショートカットで管理する

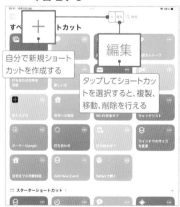

ギャラリーから取得したショートカットは、「すべてのショートカット」画面で管理する。上部の「＋」ボタンで、自分で一からショートカットを作成することも可能。

4 | 特定条件で自動実行するオートメーション

「オートメーション」画面では、時刻や場所、設定などの指定条件を満たした時に、自動的に実行するショートカットを作成できる（P208で解説）。

アプリを横断する複雑な処理を
ショートカットで自動化する
自分でショートカットを作成してみよう

　ここでは、P196で紹介した「ショートカット」アプリで、具体的にどんな事ができるのか、どのように作成していけばいいかを見ていこう。例えば、恒例の打ち合わせ場所が2箇所あり、どちらの場所で何時に打ち合わせするかをカレンダーに登録して、同席するメンバーにも毎回メールで知らせるとしよう。ショートカットを使えば、これら複数アプリにまたがる操作を、あっという間に処理できるようになる。「リストから選択」などのアクションや変数を利用したショートカットを実行すれば、打ち合わせ場所と日時を指定するだけで、いつものメンバーに打ち合わせの予定を一斉送信できるのだ。このような操作を一括処理するショートカットを、自分で一から作成する手順と、作成したショートカットをSiriなどを使って実行する方法を説明する。

ショートカットの構成を確認する

ショートカットの「…」をタップすると、そのショートカットがどのようなアクションで構成されているか確認できる。最初はギャラリーのショートカットをベースに、自分で他のアクションを追加していくと作りやすい。

各アクションの実行順は、ドラッグ&ドロップで入れ替えできる

自分でショートカットを作成する手順

1 「+」ボタンで新規ショートカットを作成

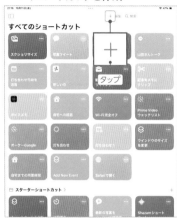

ここでは、打ち合わせ予定を作成してメール送信するショートカットを作成する。まずサイドメニューで「すべてのショートカット」画面を開き、上部の「+」ボタンをタップ。

2 「入力を要求」をタップして追加

ショートカットを構成するアクションは、右欄で選択していく。上部の検索欄で「入力を要求」を検索し、タップして追加しよう。

3 質問を入力して入力の種類を選択

「プロンプト」欄に「開始時刻」と入力。続けて隣の「テキスト」欄をタップし、入力の種類を「日付と時刻」に変更しておく。

4 入力から日付を取得を追加

次に「入力から日付を取得」というアクションを検索し、タップして追加しよう。これで、「開始時刻」で入力した日付を取得できる。

5 | 終了時刻も取得 するよう設定する

同じ手順で「入力を要求」を追加し、今度は「終了時刻」と入力して、種類を「日付と時刻」に設定。また「入力から日付を取得」も追加しておく。

6 | 住所アクションで 1つ目の住所を入力

次に「住所」というアクションを検索してタップ。予定作成時に複数の住所を切り替えて選択したいので、ここではひとつ目の住所を入力する。

7 | 「住所」という 変数に追加する

続けて「変数に追加」を検索しタップ。「変数名」欄に「住所」と入力しよう。これで、上で入力した住所をいったん「住所」という変数に保存する。

8 | 2つ目の住所も 同様に設定する

もう一度「住所」アクションを追加し、2つ目の住所を入力。「変数に追加」で、上に入力した住所を「住所」という変数に保存する。

9 | リストから選択を追加する

「リストから選択」というアクションを探して追加しよう。すると、「住所」変数に保存した2つの住所から選択できるようになる。

10 | 新規予定を追加を設定していく

「新規予定を追加」を検索して追加。「明日の正午」入力欄をタップして、キーボード上部にある、「変数を選択」ボタンをタップする。

11 | 新規予定の開始時刻を選択

マジック変数の選択画面が表示される。「開始時刻」で取得した、最初の「日付」をタップして選択しよう。

12 | 新規予定の終了時刻を選択

続けて、「明日の午後1時」入力欄をタップして「変数を選択」ボタンをタップ。「終了時刻」で取得した、2番目の「日付」を選択。

13 予定のタイトル を設定する

「タイトル」入力欄をタップし、キーボード上部の変数一覧にある「毎回尋ねる」をタップ。これで、予定のタイトルは毎回入力することになる。

14 場所、カレンダー、 通知を設定

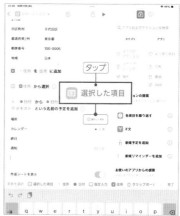

続けて「>」をタップして下に詳細画面を開く。まず「場所」欄は、「変数を選択」ボタンで「選択した項目」を選択する。「カレンダー」と「通知」も設定しておこう。

15 メールを送信を 追加する

最後に、「メールを送信」アクションを検索して追加。新規予定を送信する宛先を選択し、件名を入力しておこう。

16 ショートカットが 完成した

以上で、場所をリストから選んで新規予定を作成し、その予定をical形式で添付してメール送信するショートカットができた。左上のボタンで元の画面に戻ると、作成したショートカットが登録されている。

Siriで実行できるショートカット名を入力する

1 | ショートカット名を変更する

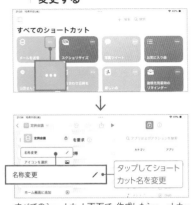

名称変更 ✏️

> タップしてショートカット名を変更

すべてのショートカット画面で、作成したショートットカットの「…」をタップすると編集画面になる。上部のショートカット名をタップし、「名称変更」で名前を変更しよう。ここでは「定期会議」に変更した。

2 | Siriの音声で実行できるようになる

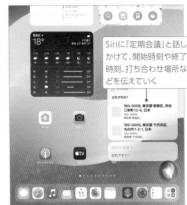

> Siriに「定期会議」と話しかけて、開始時刻や終了時刻、打ち合わせ場所などを伝えていく

ショートカットに付けた名前が、Siriショートカットの音声コマンドも兼ねる。Siriに「定期会議」と話しかけてみよう。作成したショートカットが実行されるはずだ。

ショートカットのアイコンをホーム画面に追加する

1 | ホーム画面に追加をタップ

> ホーム画面に追加
> タップ

ショートカットの「…」をタップし、右欄上部の「i」ボタンをタップ。続けて「詳細」タブにある、「ホーム画面に追加」→「追加」をタップする。

2 | アイコンが作成される

> タップして実行

ホーム画面にこのショートカットのアイコンが作成される。タップするとショートカットを実行できる。

ショートカットのカラーとグリフを変更する

1 アイコンを選択をタップする

作成したショートカットは、好きな色とアイコンに変更することもできる。作成したショートカットの「…」をタップし、左上のショートカット名をタップ。続けてメニューから「アイコンを選択」をタップしよう。

2 アイコンの色やデザインを変更する

アイコンのカラーやデザインを変更できる。下にスクロールすると他のアイコンが一覧表示されるほか、キーワードで検索することも可能だ。分かりやすいものを選んでカスタマイズしておこう。

使いこなしヒント

うまく動かない時は再生ボタンでテスト

作成したショートカットがうまく動作しない時は、ショートカットの「…」をタップしてアクション一覧を開き、上部にある再生ボタンをタップしよう。現在処理中のアクションがハイライトされ、順に実行されていく。このアクションの動きを見ていくと、どこの処理でストップしているかを確認できる。設定を失敗していたら、元の画面に戻ってアクションの内容を修正しよう。

作成したショートカットを実行した際の操作

　ここまで作成したショートカットを実際に使ってみよう。手動で行うと、まずカレンダーを起動し、開始日時や終了日時を選択し、場所を入力して……といった作業が必要だが、ショートカットの場合は、表示される項目から選択するだけで自動的に処理できる。また複数アプリにまたがって操作が必要な場合も、それぞれのアプリを個別に起動する必要がなく、シームレスに操作できる。

1 | 開始時刻や終了時刻を設定する

作成した「定例会議」ショートカットを実行しよう。まず開始時刻と終了時刻の設定画面が表示されるので、日時を指定して「完了」をタップ。

2 | リストから場所を選択してタイトルを入力

登録しておいた2つの住所から、打ち合わせ場所を選択する。続けて、予定のタイトルを入力して「完了」をタップする。

3 | 新規予定をカレンダーに追加する

選択した開始／終了時刻や場所、タイトルなどが入力済みの状態で新規予定の作成画面が開くので、「追加」をタップしてカレンダーに追加。

4 | 打ち合わせ日時のメールを送信する

追加した予定が添付され、複数の宛先や件名が入力された状態で、メールの送信画面が開く。あとは送信ボタンをタップして送信するだけだ。

いつもの作業環境を
ショートカットで素早く表示する
よく使う複数のアプリをワンタップで同時起動しよう

　　iPadOSのSplit Viewやステージマネージャでは、複数のアプリを同時に画面表示するマルチタスク環境が実現できる。たとえば、「メモ」と「Safari」を画面分割で表示すれば、Webサイトで調べ物しながらメモを取る、といったようなことが1画面で可能だ。もし、毎回同じアプリの組み合わせで表示したいのであれば、その操作をショートカットで自動化しておくと効率的。ここでは、Split Viewで2つのアプリを画面分割して表示するショートカットと、ステージマネージャで3つのアプリを同時に表示するショートカットを紹介するので、実際に試してみよう。

指定した2つのアプリを画面分割して表示する

1 「画面を複数のアプリで分割」でアプリを設定する

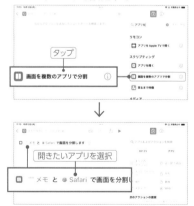

Split Viewで2つのアプリを同時に起動するショートカットを作ってみよう。新規ショートカットを作成したら、「画面を複数のアプリで分割」を追加。「アプリ」をタップして同時に開く2つのアプリを選択する。

2 実行すると2つのアプリを画面分割で起動できる

設定したショートカットを実行すると、2つのアプリがSplit Viewにより画面分割で起動する。ここでは「メモ」と「Safari」を同時起動している。自分の好きなアプリが起動できるように設定してみよう。

3つのアプリを同時表示つつステージマネージャもオンにする

1 「ステージマネージャを設定」を追加する

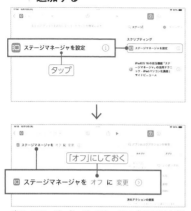

次は、ステージマネージャで3つのアプリを同時に開くショートカットを作ってみよう。新規ショートカットを作成したら、「ステージマネージャを設定」を追加。「オン」を「オフ」に変更しておく。

2 開きたい3つのアプリを設定していく

次に「画面を複数のアプリで分割」を追加したら、開きたいアプリを2つ設定。さらに「アプリを開く」を追加して3つ目のアプリを設定したら、「>」マークを押して「Slide Over」をオンにしておく。

3 ステージマネージャをオンに設定しておく

最後に「ステージマネージャを設定」を追加して、ステージマネージャをオンに変更するようにしておこう。これでショートカット自体は完成だ。

4 ステージマネージャで3つのアプリが同時に開く

ショートカットを実行すると3つのアプリがステージマネージャで起動する。なお、各ウインドウの位置や大きさなどは手動で調整しよう。

イベントが起こった際に
自動的にアクションを実行させる
時間や場所などの条件でショートカットを自動実行しよう

　ショートカットアプリには「オートメーション」という機能が搭載されている。これ
は、あらかじめ設定した特定のイベントが発生したときに、指定したショートカットを
自動実行する機能だ。たとえば、「時間」をイベント（作動機能）として選択すれば、
「平日の午前8:00」という条件を設定することで、その条件を満たしたときだけ指
定したショートカットを実行できる。これを使いこなせば、「職場を出たら指定した相
手にメッセージを送る」、「自宅のWi-Fiに接続したら集中モードを切り替える」と
いった動作を自動化可能だ。以下で設定例を紹介するので試してみよう。

ショートカットアプリでオートメーションを新規作成する方法

1 オートメーションを新規作成する

まずは、オートメーションの作成方法を紹介しておこ
う。ショートカットアプリを起動して、サイドメニューから
「オートメーション」をタップ。「新規オートメーション」
もしくは「＋」ボタンをタップする。

2 アクションを実行させる作動機能を選ぶ

「時刻」「到着」などの作動機能一覧が表示される
ので選択しよう。たとえば「時刻」なら、「平日の午
前8:00」といった指定時刻に任意のアクションを
実行可能だ。

職場を出たら指定した相手に「今から帰ります」とメッセージを送る

1 作動機能を「出発」にして「場所」をタップ

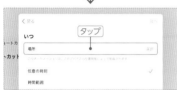

職場から出たときに「今から帰ります」とメッセージを送るオートメーションを作ってみよう。まずは前ページと同じ手順で新規オートメーションを作成したら、作動機能に「出発」を選択。「場所」をタップする。

2 職場の住所を入力してマップから範囲を指定

職場の住所を入力して検索

青丸をドラッグして範囲を指定する

「出発」は、指定した場所から出発したときに作動する機能だ。職場の住所を指定したら、画面下のマップを確認。青丸をドラッグして範囲（ここから出るとアクションが作動する）を指定しておこう。

3 必要であれば「時間範囲」を決めておく

アクションを作動させる時間帯を決めておく

「時間範囲」でアクションを作動させる時間帯を決めておける。帰宅時間が決まっているなら、その時間帯を設定しておくと誤作動が少なくなる。設定が済んだら「次へ」をタップ。

4 作動させる内容を新規作成する

上の画面になったら、条件を満たしたときに作動させるオートメーションを選択する。ここでは、「新しい空のオートメーション」をタップして、新しくオートメーションを作っていこう。

5 アクションを追加していく

上の画面でメッセージを送信するアクションを設定していく。「アクションを追加」をタップ、または「次のアクションの提案」から「メッセージを送信」のアクションを探し出したら、追加しておこう。

6 「メッセージを送信」のアクションを設定

「メッセージの送信」アクションを追加したら、「メッセージ」に「今から帰ります」、「宛先」に送信先を設定する。「完了」をタップすれば、オートメーションの作成完了だ。

7 条件を満たすとアクションが実行される

設定したオートメーションは常に待機状態となり、条件が満たされる（設定した時間帯に職場から出る）と右のような通知が表示される。これをタップして、さらに「実行」をタップすれば、「今から帰ります」メッセージが送信されるのだ。

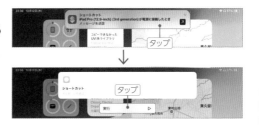

使いこなしヒント

オートメーションを一時的に無効にするには？

設定済みのオートメーションは、ショートカットアプリの「オートメーション」画面を表示することで一覧表示できる。一時的に無効にしたい場合は、この一覧からオートメーションの項目をタップし、「オートメーション」を「起動しない」にしておけばいい。オートメーションを完全に削除したい場合は、一覧内の項目を左にスワイプして「削除」をタップしよう。

自宅のWi-Fiに接続したら集中モードを切り替える

1 | パーソナル集中モードを設定しておく

「設定」→「集中モード」→「パーソナル」の内容を設定。パーソナル集中モードをオンにしたとき、通知を許可する宛先や表示するホーム画面の状態などを設定できる

ここでは、自宅のWi-Fiに接続した際、パーソナル集中モードに切り替えるオートメーションを設定してみよう。まずはパーソナル集中モードをオンにしたときに、どのような状態にするか設定しておく。

2 | オートメーションを新規作成する

ショートカットアプリを起動し、オートメーションを新規作成しよう。作動機能一覧から「Wi-Fi」を選択し、「ネットワーク」で自宅のWi-Fi名を選択。これで自宅に帰宅したことを判断できるようになる。

3 | 「すぐに実行」を設定しておこう

続けて、「接続が中断したあとに実行」および「すぐに実行」を有効にしておこう。「すぐに実行」を有効にすると、確認表示なしで設定したオートメーションが実行されるようになる。

4 | 作動させる内容を新規作成する

上の画面になったら、条件を満たしたときに作動させるオートメーションを選択する。ここでは、「新しい空のオートメーション」をタップして、新しくオートメーションを作っていこう。

5 作動機能を「出発」にして「場所」をタップ

ここから作動させるアクションの内容を設定していく。上の画面で「アクションを追加」をタップしたら、検索欄に「集中」と入力しよう。表示された「集中モードを設定」をタップする。

6 アクションを設定して「完了」をタップ

「集中モードを設定」のアクション内容が表示されるので、設定欄をタップし「パーソナルをオフ時にオンに変更」となるようにしておく。「完了」でオートメーションの設定は終了だ。

7 条件を満たすとアクションが実行される

設定したオートメーションは常に待機状態となり、条件が満たされる（自宅のWi-Fiに接続する）と右のような通知が表示される。これによりパーソナル集中モードがオンに切り替わる。

パーソナル集中モードに切り替わる

使いこなしヒント

他の端末で集中モードが切り替わらないようにしたい

集中モードは、他のiPhoneやMacなど、同じApple IDでサインインしているすべてのデバイスで共有されている。上のオートメーションを実行したときに、iPadだけパーソナル集中モードに切り替えたいという場合は、iPadの設定で「デバイス間で共有」をオフにしておこう。オンにしたままだと、すべてのデバイスでパーソナル集中モードに変更されるようになっている。

「設定」→「集中モード」→「デバイス間で共有」をオフにする

08

スケジュールと
タスク管理
の仕事技

標準カレンダーを
Googleカレンダーと同期する

Googleカレンダーをメインに使っている人は必須の設定

　普段のスケジュール管理をGoogleカレンダーで行っている人は、iPadとGoogleカレンダーを同期させておこう。まずは「設定」→「カレンダー」→「アカウント」→「アカウントを追加」でGoogleアカウントを設定しておく。これにより、iPadの標準カレンダーアプリがGoogleカレンダーと同期されるようになるのだ。また、この設定をあらかじめ済ませておけば、一般的な他社製カレンダーアプリでも、標準カレンダーアプリを介してGoogleカレンダーとの同期が可能となる。カレンダーの予定データ自体はGoogleカレンダーに保存しつつ、インターフェイスとしてのカレンダーアプリは自分の使いやすいアプリを使う、といった運用方法がおすすめだ。もちろん、Googleが提供している公式のGoogleカレンダーアプリを使ってもいい。

標準のカレンダーでもGoogleカレンダーを同期できる

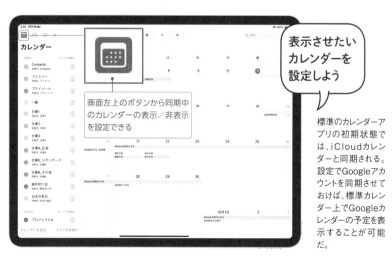

表示させたい
カレンダーを
設定しよう

画面左上のボタンから同期中のカレンダーの表示／非表示を設定できる

標準のカレンダーアプリの初期状態では、iCloudカレンダーと同期される。設定でGoogleアカウントを同期させておけば、標準カレンダー上でGoogleカレンダーの予定を表示することが可能だ。

1 「カレンダー」の設定から アカウントを追加

タップする

Googleカレンダーを標準カレンダーに同期するには、「設定」→「カレンダー」→「アカウント」→「アカウントを追加」をタップしよう。

2 サービス一覧から Googleを選択する

タップする

次の画面でiPadとの同期に対応しているサービス一覧が表示される。今回はGoogleカレンダーを同期させたいので「Google」を選択しよう。

3 アカウントとパスワードを 入力して認証する

Googleアカウント とパスワードを入力

Googleのアカウント認証画面が表示されるので、Googleアカウント（Gmailアドレス）とパスワードを入力。Googleアカウントにログインしよう。

4 同期したい項目をオンにして 「保存」で設定完了だ

同期したい項目をオンにする

同期に対応しているアプリ一覧が表示される。カレンダー以外にも、必要に応じてメールや連絡先をオンにして「保存」をタップしよう。これで設定は完了だ。

予定作成時は登録先の カレンダーをしっかり設定しよう

各種カレンダーアプリで予定をGoogleカレンダーに登録したい場合は、予定作成画面で、登録先のカレンダーをGoogleカレンダーにしておくこと。どのカレンダーに予定を追加するかをしっかり意識しておくのが大事だ。

登録先のカレンダーを選ぶ

Outlookの予定表を
iPadと同期する方法

Outlook.comを介すことで簡単に同期設定が可能

　パソコンで使っているOutlookの予定表をiPadに同期してみよう。設定方法はいくつかあるが、最も確実なのはパソコンのOutlookで「Outlook.com」と同期した予定表を利用し、iPad側の「カレンダー」→「アカウント」設定でOutlook.comと同期しておく方法だ。まずは、Outlook.comにアクセスして「〜@outlook.com」のメールアドレスを取得しておこう（すでに持っている人は不要）。次に、パソコンのOutlookを起動し、このメールアドレスでアカウントを追加する。最後にiPad側でOutlook.comとの同期設定を行えば設定完了だ。これで標準カレンダーアプリでもOutlook.comのカレンダーを表示できるようになる。

「〜@outlook.com」のメールアドレスを取得して設定する

1　iPadのSafariで Outlook.comにアクセスする

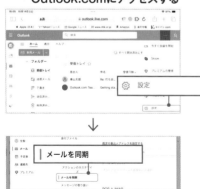

Outlook.com
https://outlook.live.com/

まずはSafariでOutlook.comにサインインしたら、画面右上の「…」→「設定」をタップ。設定画面が開くので「メール」→「メールを同期」をタップする。

2　アカウントエイリアスを 新規で取得する

「プライマリエイリアスを管理または選択」をタップして、Microsoftアカウントでサインイン。次の画面で「メールの追加」をタップし、「〜@outlook.com」のメールを取得して追加しておこう。

1 取得したアカウントを追加しておく

「～@outlook.com」のメールアドレスでアカウントを追加する

パソコンでOutlookを起動したら、「ファイル」→「情報」→「アカウントの追加」から、「～@outlook.com」のメールアドレスでアカウントを追加しておこう。なお、すでにOutlook.comと同期しているアカウントがある場合、この設定は不要だ。

2 Outlookと同期したカレンダーで予定を管理する

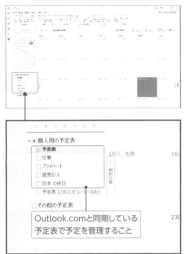

Outlook.comと同期している予定表で予定を管理すること

これでOutlook.com経由で同期されるアカウントが登録された。新しく予定表が追加されるので、今後はそこで予定を管理するようにしよう。

1 iPadでOutlook.comとの同期設定を行う

iPadで「設定」→「カレンダー」→「アカウント」→「アカウントを追加」をタップ。「Outlook.com」を選んで、同期したいOutlook.comのアカウントでサインインを済ませておく。

2 表示するカレンダーを設定する

画面左上のボタンからOutlook.comのカレンダー表示を設定する

標準のカレンダーアプリを起動し、画面左上のボタンをタップ。Outlook.comと同期しているカレンダーから表示したいものを選択しよう。

メールの文面から
予定や連絡先を登録

打ち合わせの日時や場所を簡単に登録する

　仕事のメールで「9月20日の14時から新宿の×××で打ち合わせを行います」といった内容を受信した際、すぐにカレンダーアプリで予定を追加しておきたい……。そんなときに覚えておくと便利なのが、標準のメールアプリから予定を追加する方法だ。メールの文中にある日時（アンダーラインが引かれる）をロングタップして「イベントを作成」を選べば、すぐにカレンダーのイベントを作成することができる。メールの内容を判断して、最適な日時や場所などの情報を自動でセットしてくれるので、素早く予定を登録可能だ。また、メールの文中にある電話番号や住所なども、ロングタップすれば連絡先にすぐ登録できる。

日時や連絡先情報をロングタップして登録しよう

1 日付や時刻を
ロングタップする

「イベントを作成」でカレンダーの
イベント作成画面が表示される

メールアプリで文中に書かれた日付や時刻をロングタップ。上のようなメニューが表示されるので、「イベントを作成」でカレンダーに追加しよう。

2 電話番号や住所を
ロングタップする

「連絡先に追加」で連絡先
の編集画面が表示される

電話番号や住所などの連絡先情報をロングタップして、「連絡先に追加」を選べば、その情報を連絡先として登録することが可能だ。

共有カレンダーを作成して
複数人で予定を共有する

プロジェクトの予定をメンバー間で共有できる

　複数のメンバーで仕事やイベントのスケジュールを共有したい、といったときに便利なのが共有カレンダー機能だ。共有カレンダーの設定は、利用しているカレンダーサービスによって設定方法が異なる。iCloudカレンダーの場合は、標準カレンダーアプリから設定することが可能だ。また、Googleカレンダーの場合は、WebブラウザからGoogleカレンダーにアクセスして設定しておこう。

iCloudとGoogleカレンダーの共有設定方法

1 iCloudカレンダーを共有する場合

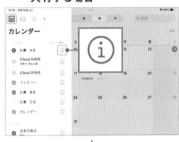

↓

「人を追加」から共有相手を招待する

標準のカレンダーアプリを起動して、画面左上のボタンをタップ。共有したいカレンダーの「i」ボタンをタップし、「人を追加」から共有する相手のメールアドレス（Apple ID）を入力しよう。招待メールが送られ、相手にカレンダーが共有される。

2 Googleカレンダーを共有する場合

設定と共有

Googleカレンダー
https://calendar.google.com/

↓

「ユーザーやグループを追加」から共有相手を招待する

Googleカレンダーの場合、標準カレンダーアプリ上では共有設定が行えない。SafariでGoogleカレンダーにアクセスして、共有したいマイカレンダーの右横にある設定ボタンをタップ。「設定と共有」から共有設定を行おう。

カレンダーの予定をスプレッドシートで効率的に入力する

csv形式のデータでGoogleカレンダーにまとめて登録

　仕事の年間スケジュールやプロジェクトの開始から終了までの細かい工程など、カレンダーに大量の予定を入力するのはとても手間のかかる作業だ。そんなときは、ExcelやGoogleスプレッドシートなどの表計算ツールで予定をまとめて作成し、csv形式で保存してカレンダーに一気に取り込めばよい。表計算ツールでの予定入力はiPadを使ってもよいが、パソコンで作業したほうがより効率的だ。なお、標準カレンダーアプリはcsv形式を直接インポートできないので、一度Googleカレンダーにインポートし、Googleカレンダーを標準カレンダーと同期させる必要がある（P214で解説）。またGoogleカレンダーに正しくインポートするには、下にまとめた書式に沿って入力する必要がある。

スプレッドシートでヘッダーを入力しよう

最初の行に「Subject」と「Start Date」は入力必須。他のヘッダーは省略してもよい

まずGoogleスプレッドシートなどで、右の書式に合わせた予定を作成する。最初の行に「Subject」や「Start Date」などヘッダーを英語で入力しよう。

カレンダー用の入力書式

使いこなしヒント

書式	項目	入力例
Start Date	予定の開始日	04/30/2023
Start Time	予定の開始時間	10:00 AM
End Date	予定の終了日	04/30/2023
End Time	予定の終了時間	3:00 PM
All Day Event	終日	「True」（終日）か「False」（終日でない）を入力
Location	予定の場所	四谷三栄町12-4
Private	限定公開	「True」（限定公開）か「False」（限定公開でない）を入力
Description	メモ	予定についてのメモを入力

※SubjectとStart Dateの入力は必須

1 ヘッダー下の各行に 予定内容を入力

日付と時刻は日本語を認識しない。予定の開始日や終了日は月/日/年の数字で入力。開始時間や終了時間は24時間表記か末尾に半角開けて「AM」「PM」を入力する。終日の予定が混在しても問題ない。

「Subject」の行にタイトルを入力し、「Start Date」の行には予定の開始日を入力するなど、それぞれのヘッダーに合わせて予定内容を入力していく。

2 作成した予定を csv形式で保存する

Googleスプレッドシートでは「ダウンロード」→「カンマ区切り形式(.csv)」で保存。Excelでは「CSV UTF-8(コンマ区切り)」で保存。文字コードはUTF-8にしないと文字化けするので注意しよう

予定を作成したら、ファイル形式を「CSV(カンマ区切り)」にして、適当な場所に保存しておこう。

3 Googleカレンダーで csvファイルを読み込む

保存したcsvファイルを読み込む

追加先カレンダーを選択

クリックしてインポート

Googleカレンダーにアクセスし、歯車ボタンから設定を開く。続けて左欄で「インポート/エクスポート」を開き、作成したcsvファイルと追加先のカレンダーを選択したら「インポート」をクリックする。

4 Googleカレンダーに インポートされた

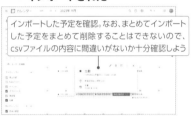

インポートした予定を確認。なお、まとめてインポートした予定をまとめて削除することはできないので、csvファイルの内容に違いがないか十分確認しよう

Googleカレンダーを確認してみよう。スプレッドシートで作成したcsvファイルの予定が反映されているはずだ。

5 標準カレンダーと 同期する

追加したGoogleアカウントの「カレンダー」をオン

P214の手順に従い、「設定」→「カレンダー」→「アカウント」→「アカウントを追加」でGoogleアカウントを追加してGoogleカレンダーを同期する。

6 標準カレンダーでも 予定が反映される

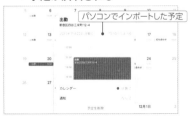

パソコンでインポートした予定

Googleカレンダーと同期させておけば、標準カレンダーアプリにもスプレッドシートで作成した予定が反映されているはずだ。

多彩なウィジェットが
秀逸なカレンダーアプリ
30種類以上のウィジェットから選べる

　iPadの標準カレンダーはシンプルで使いやすいが、ウィジェット機能は充実していると言えず、特に月カレンダーウィジェットは日付が分かるだけであまり役に立たない。もっと見やすいカレンダーウィジェットを探しているなら、「FirstSeed Calendar for iPad」を利用しよう。イベントの詳細も確認できる特大サイズの月カレンダーウィジェットや、予定リスト＋月カレンダー、○日間の予定、○週間の予定など、30種類以上ものバリエーション豊かなウィジェットが用意されており、自分好みの表示形式が見つかるはずだ。カレンダーアプリとしての使い勝手も優秀で、標準カレンダーだけでなく標準リマインダーとも同期でき、自然言語でイベントを作成できる点も便利（P224で解説）。他に使い慣れたカレンダーアプリがあるなら、ウィジェットのみFirstSeed Calendarを利用する使い方もおすすめだ。

まずはiPadに入れておきたいおすすめカレンダー

ウィジェット以外の
機能も充実

FirstSeed Calendar for iPad
作者 FirstSeed Inc
価格 1,500円

多彩なウィジェットを備えるだけでなく、標準リマインダーとも同期でき、カスタマイズ性が高く、予定をドラッグ＆ドロップで移動できるなど直感的に操作できる優秀なカレンダーアプリ。

1 30種類以上の ウィジェットを選べる

「Calendars」がFirstSeed Calendarのウィジェット。左右にスワイプして、30種類以上のウィジェットからホーム画面に配置するものを選択しよう。

2 月カレンダーは スタックが便利

「月カレンダー」は特大サイズで配置でき、イベント内容もホーム画面で把握できる。さらに「翌月の月カレンダー」ウィジェットを追加し、重ねてスタックしておけば、上下にスワイプして2ヶ月分の予定を把握できる。

3 その他使い勝手のいい おすすめウィジェット

「予定リスト+ツール」は、直近の予定を確認しつつホーム画面からも予定を作成できる。マイクボタンをタップすると、「明日午後6時に打ち合わせ」など音声入力による自然言語で予定を作成可能だ。「4週間の予定」は、月カレンダーよりもイベントの表示サイズに余裕があるので、月カレンダーと比較して使いやすい方を選ぼう。

日時とイベント名をまとめて入力できるカレンダーアプリ

自然言語で入力して予定を作成しよう

　P222で紹介したカレンダーアプリ「FirstSeed Calendar for iPad」は、豊富なウィジェットだけでなく、自然言語でイベントやリマインダーを作成できる「クイックイベント」機能が使える点も魅力だ。たとえば、「10月17日の14時から15時まで会議」や、「明日18時に青山に電話をリマインド」といった入力方法でイベントやリマインダーを作成できる。キーボードで入力してもよいが、音声入力（P72で解説）を利用すると、よりスピーディなイベント作成が可能だ。また、ウィジェットで「ツール」を配置しておけば、ホーム画面のウィジェットから、自然言語による音声入力で予定を作成することもできる。なお、iPhone版では「＋」ボタンをロングタップすればクイックイベント作成画面が開くが、原稿執筆時点のiPad版では、あらかじめ設定で機能を有効にする必要がある。

クイックイベントの使用を有効にする

1 設定画面を開いて詳細をタップ

「FirstSeed Calendar for iPad」を起動したら、右上の歯車ボタンをタップして設定を開き、続けて「詳細」をタップ。

2 クイックイベントを使用をオンにする

「クイックイベントを使用」をオンにする。これで、「＋」ボタンをタップした際に、自然言語で入力できるクイックイベントの作成画面が開くようになる。

1 新規クイックイベントを作成

自然言語で予定を入力

右上の「+」をタップするとクイックイベントの作成画面が開く。「来週木曜の13時から14時まで打ち合わせ」などと入力すると、日時やイベント名が自動で設定される。

2 保存先カレンダーなどを変更する

保存するカレンダーを変更したり場所を追加したい場合は、「詳細を表示」をタップしよう。通常の新規予定作成画面に切り替わる。

3 リマインダーも自然言語で作成可能

リマインダー

「○○とリマインド」を入力すると自動でリマインダータブが選択される

リマインダーに登録したい場合は、「○○とリマインド」といった自然言語で入力するか、上部の「リマインダー」タブをタップして直接切り替えてもよい。

4 保存先リストなどを変更する

予定の場合と同様に「詳細を表示」をタップすると、リマインダーの繰り返しを設定したり、保存先のリストを変更できる。

ウィジェットから音声でイベント作成

「予定+ツール」などのウィジェットをホーム画面に配置しておくと、マイクボタンをタップして、自然言語による音声入力で予定を作成できる。

タップ

直接手書きで書き込める
カレンダーアプリ

システム手帳派も満足できる手書きカレンダー

　スケジュールはデジタルで管理した方が便利なのは分かっていても、紙の手帳に直接書き込んだほうが覚えやすいし見やすい……という人にピッタリなのが「Planner for iPad」。カレンダー上に手書きで直接予定を書き込むシステム手帳感覚で使えるカレンダーアプリだ。打ち合わせでスケジュールを相談する際にも、予定や日時の候補をササッと書き込めて重宝するはずだ。また紙の手帳と違い、複数の手帳を作成して使い分けできるほか、月／週／日の表示を切り替えたり、手書き文字の修正や移動も簡単。付箋やマスキングテープを貼り付けたり、写真やスタンプも追加して、画面をにぎやかに彩ることもできる。アナログとデジタルのいいとこ取りをした画期的なアプリだ。標準カレンダーと同期するには、歯車ボタンから「カレンダー設定」→「標準カレンダーと連携する」をオンにすればよい。

Planner for iPad
作者 Takeya Hikage
価格 無料

手書きで予定を書き込める、デジタルとアナログを融合したカレンダーアプリ。指での書き込みも許可できるが、基本的にiPadとApple Pencilを組み合わせて、システム手帳のように使うのが前提だ。

システム手帳
と変わらない
使い心地！

スケジュール機能でメールを
リマインダーとして活用

送信日時を指定して自分宛てにメールを送ろう

標準メールアプリには、作成したメールを指定した日時に予約送信する「あとで送信」機能が用意されている。期日が近づいたイベントの確認メールを前日に送ったり、指定日時以降でないと公開できない情報を送信する場合などに便利な機能だが、自分宛てにメールを予約送信して、リマインダー代わりにする使い方もおすすめだ。リマインダーアプリやカレンダーアプリの通知をついついスルーしがちな人も、メールで届けば確実に目にするはずだ。特に重要な要件の見落としを防ぐために活用しよう。なお、受信した自分宛てメールをもう少し後で再度知らせて欲しい場合も、標準メールの「リマインダー」機能で手軽に再通知できる（P263で解説）。

1　送信ボタンを　ロングタップ

自分宛てのメールを作成したら、送信ボタンをロングタップしよう。「今夜21:00に送信」「明日8:00に送信」などの送信タイミングを選択できる。送信時間を自分で自由に指定する場合は、「あとで送信」をタップ。

2　送信日時を　指定する

「あとで送信」をタップした場合は、日時を自由に指定して「完了」をタップすれば、指定時間に自動送信される。送信日時を変更したりキャンセルしたい場合は、「あとで送信」メールボックスで予約メールを開き、編集したり削除すればよい。

スケジューリングやタスク管理にLINEを利用する

LINEが物足りなければLINE WORKSを利用しよう

　小規模な職場やプロジェクトでやり取りしたいときは、LINEでグループを作成するのが手っ取り早い。LINEは多くの人がアカウントを持っているので参加してもらうハードルが低く、メールよりも素早く確実に情報共有できる。ただ仕事のスケジュールやタスクを管理するには機能的に物足りず、特にiPad版LINEだとLINEスケジュールや投票などの機能も使えない。もっと本格的にビジネスで活用したいなら「LINE WORKS」を使ってみよう。これはLINEとはまったく別のアプリなのだが、画面がLINEとそっくりで直感的に操作でき、チームで共有するカレンダーや進捗を管理できるタスクなど、ビジネス向けの強力な機能を利用できるツールとなっている。ただしメンバー全員がLINE WORKSアカウントを取得してアプリのインストールも済ませる必要があるので、参加してもらうハードルは少し高い。なお、LINE WORKSは、通常のLINEユーザーとトークができる点も大きな特徴だ（トークのみで通話はできない）。これを利用して、プライベート用のLINEを仕事相手に教えたくない人は、LINE WORKSアカウントを作成し、仕事相手のLINEアカウントとやり取りするといった使い方もできる。

仕事のやりとりをLINEグループで行う

小規模なチームの管理ならLINEで十分！

LINE
作者 LINE Corporation
価格 無料

LINEで同じ職場やチームのメンバーを招待して仕事用のグループを作成しておけば、連絡事項の通達もスムーズに行える。グループ通話なども可能だ。なお、iPad版LINEではiPhoneと同じLINEアカウントでログインし、同じトーク内容を表示できるが、LINEスケジュールなど一部機能が使えない制限がある。

1 LINE WORKSの トーク画面

LINE WORKS
作者 WORKS MOBILE Corp.
価格 無料

LINE WORKSのトーク画面はLINEとほぼ同じ。スタンプでやり取りしたり、ファイルや画像の送信、グループ通話なども可能だ。なおLINE WORKSでは、誰が既読で誰が未読かも個別に確認できる。

2 カレンダーで全員の 予定を確認できる

左下メニューの「カレンダー」をタップすると、グループの予定や他のメンバーの予定を確認できる。予定の招待への回答や、メンバーの空き時間を確認しながら予定を作成するといった操作も可能。

3 タスク機能で やるべきことを管理

「ホーム」→「タスク」画面で、業務の発注や連絡など、やるべきことを管理できる。タスクの内容と依頼者や担当者を設定すれば、担当者の「タスク」画面にタスクのリストが一覧表示される。

4 通常のLINEユーザー とトークする

「アドレス帳」画面の「＋」→「顧客／取引先の情報を追加」→「LINEユーザー」から招待すると、通常のLINEユーザーともトークできる。ただし、スタンプや画像を送ることは可能だが通話はできない。

チームのコミュニケーションを Slackで円滑に行う

定番のビジネスチャットアプリをiPadで使ってみよう

　今や多くの企業で導入されている「Slack」。Slackとは、簡単に言えばLINEグループのようなグループチャット機能を、仕事向けにより使いやすくしたビジネスチャットアプリだ。メンバー間で資料のファイルを共有したり、新しい企画のアイディアを提案したりなど、仕事上のコミュニケーションをメールよりも円滑に行うことができる。まだ使ったことがない人は、この機会にぜひ試してみよう。

Slackをインストールしてサインインする

1 アプリを起動して 「Slackを始める」をタップ

Slack
作者 Slack Technologies, Inc.
価格 無料

はじめて使う人は「開始」をタップ

開始...

サインイン

Slackに招待されていますか？招待を承認する

Google で続ける

Apple で続ける

メール で続ける

またはワークスペースのURLでサインインする

アプリを起動したら、「開始」をタップ。続けて「メールで続ける」をタップするか、Apple IDまたはGoogleアカウントを使って認証しよう。

2 メールアドレスを入力して 認証メールのボタンをタップ

メールでサインインする

メールアドレスを入力してください

aoyama1982c@gmail.com

自分のメールアドレスを入力

代わりに GovSlack にサインインしますか？

GovSlack にサインインする

メールアドレスを認証して
Slack の利用を開始

aoyama1982c@gmail.c
であると認証した後で、
新しいワークスペースの
ます。

iPadのメールアプリを
起動して「メールアドレ
スの確認」をタップ

お使いのモバイルデバイス
ます

メールアドレスの確認

このメールをリクエストしなかった場合は、無視してください。

「メールで続ける」をタップした人は、自分のメールを入力しよう。認証メールが届くので、iPadのメールアプリで確認し、メール内のボタンをタップする。

Slackでは、プロジェクトごとにワークスペースを新規作成し、そこにメンバーを招待してコミュニケーションを行う。ワークスペースには個別のURLが発行され、参加メンバーはURLからワークスペースにアクセス可能だ。ワークスペースを新規作成するのであれば、以下のように作成してメンバーを招待しよう。なお、Slackでは、参加するワークスペースごとに個別のアカウントを作成する必要がある。

1 ワークスペースを新規作成する

↓

Slackをはじめて使う場合、上のような画面が表示される。ワークスペースを新しく作るなら「ワークスペースを新規作成する」をタップ。続けて社名またはチーム名を設定しておこう。

2 ほかのメンバーをワークスペースに招待する

↓

メンバーの招待画面になるので、「リンクを共有する」をタップして、参加メンバーにメールやメッセージを送信する。あとからでもメンバーは招待できる。最後にプロジェクト名を設定しておく。

3 ワークスペースとチャンネルが作成される

 →

あとは通知をオンにして「Slackでチャンネルを表示する」をタップすると、作成したワークスペースの画面が表示される。招待した他のメンバーが参加してくるのを待とう。

　自分でワークスペースを作らずに、他のユーザーが作ったワークスペースに参加したいときは、ワークスペースの参加者に招待メールを送ってもらおう。届いたメールをメールアプリで表示し、「今すぐ参加」ボタンを押せば、Slackが起動する。あとは、そのワークスペース用のアカウントを新規作成すれば参加が可能だ。

1 ワークスペースの参加者が招待を行う

新規メンバーを招待する側は、画面の左端を右にスワイプしてサイドメニューを開き、ワークスペース名の横にある「…」→「メンバーを招待」をタップして、招待メールなどを送る。

2 招待メールの「今すぐ参加」をタップ

招待された側には、Slackからメールが届く。メール内に記載された「今すぐ参加」ボタンをタップしよう。

3 アカウントを作成する

アカウントの作成画面が開くので、氏名とパスワードを入力して「次へ」をタップ。これで、招待されたワークスペースに参加できる。

4 複数のワークスペースを切り替える

画面の左端を右にスワイプすると、ワークスペースの切り替えメニューが表示される。複数のワークスペースに参加している場合は、ここから切り変えることが可能だ。

チャンネルを作成してメッセージを送受信しよう

Slackでは、ワークスペース内に複数の「チャンネル」を作成でき、チャンネルごとにメッセージやファイルを共有することが可能だ。標準では「#general」や「#random」などのチャンネルが用意されているが、必要であればチャンネルを追加しておこう。プロジェクトや話題ごとでチャンネルを分けてもいいし、部署やオフィス単位でチャンネルを分けてもOKだ。なお、各チャンネルは、ワークスペースのメンバー全員が参加できる「パブリック」と特定のメンバーだけ参加できる「プライベート」のどちらかに設定しておける。

1 チャンネルを新規作成しよう

「チャンネルを追加する」→「チャンネルを作成する」をタップして、チャンネルを新規作成する。既存のチャンネルを設定する場合は、チャンネル名をタップして名前をタップしよう。

2 チャンネルの設定を行っておく

チャンネル名を入力して「次へ」をタップ。続けて全員参加でよければ「パブリック」を選択し、特定のメンバーのみ参加させるなら「プライベート」を選択してメンバーを追加しよう。

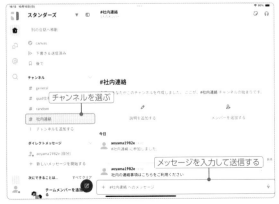

3 メッセージでやり取りしよう

メッセージの送信方法は簡単だ。やり取りしたいチャンネルをタップして、画面下の入力欄にメッセージを入力。「送信」ボタンでメッセージを送信できる。ファイルや画像も送信することが可能だ（プランによってファイルストレージに保管できる容量は変わる）。

233

　チャンネルに投稿するメッセージで、読んでほしいメンバーを指定したいときは「メンション」を使おう。メンションは、「@」の後ろにユーザー名を指定すれば設定できる。メンションされたメンバーには通知されるので、確実に読んでもらいたいメッセージだけに利用しよう。なお、メンション付きのメッセージもチャンネルに参加している全員が閲覧可能だ。

1 @をタップしてメンバーを選択する

メンション付きのメッセージを送る場合は、「@」ボタンをタップ。一覧表示されたメンバーから目的のユーザー名をタップすればメンションを指定できる。

2 メンション付きのメッセージを送信する

「@ユーザー名」の後ろにメッセージを入力。「送信」をタップしてメッセージを送信しよう。メンションされたメンバーには通知が表示される。

3 特殊なメンションを使ってみよう

「@channel」のような特殊なメンションも用意されている（右表参照）。夜中に重要なメッセージを送る際、通知でメンバーを起こしたくないときなどは、「@here」を使うといい。

Slackでよく使われるメンション

メンション	概要
@ユーザー名	チャンネルに参加している特定ユーザーに対して呼びかける
@here	チャンネルに参加しているメンバーで、現在オンライン状態のユーザーに呼びかける
@channel	チャンネルに参加している全メンバーに呼びかける
@everyone	#generalチャンネルで利用する。参加している全メンバーに呼びかける

メッセージに対して絵文字でリアクションする

Slackでは、Facebookの「いいね!」のように、メッセージに対して絵文字でリアクションを送信することができる。リアクションしたいメッセージをタップしてから、絵文字マークで送信する絵文字を選ぼう。

1 リアクションする メッセージをタップする

メッセージに絵文字でリアクションしたい場合は、まずリアクションするメッセージをタップしよう。

2 絵文字マークをタップして 絵文字を送信する

メッセージの下に表示される絵文字マークをタップして、送信したい絵文字をタップすればOKだ。

使いこなし ヒント

ダイレクトメッセージを 送信する

チャンネル全体のメンバーに知らせる必要のない会話を、特定のメンバーと交わしたい場合は、ダイレクトメッセージを利用しよう。1対1の会話だけでなく、最大9人まで含めたグループダイレクトメッセージも送信できる。

ダイレクトメッセージを送信するには、まず画面下部に用意された新規メッセージボタンをタップする。

送信したい相手にチェックしたら、下部の入力欄にメッセージを入力して送信すればよい。最大9人まで追加できる。

iPadとMacの
連携機能を
利用する

iPadには、Macと連携させて便利に使える機能がいくつか搭載されている。例えば、iPadでMacのディスプレイを拡張できる「Sidecar」。iPadでMacの画面を映せるようになるだけでなく、MacのアプリをApple Pencilで操作することが可能になるのだ。また、MacとiPadの両方をひとつのキーボードやマウス、トラックパッドを使ってシームレスに操作できるようになる「ユニバーサルコントロール」にも注目。iPadユーザーでMacも使っている場合は、これらの強力な連携機能を利用しない手はない。

iPadをMacの
サブディスプレイとして利用する

　Macを持っているなら、ぜひ利用したい機能が「Sidecar」だ。iPadの画面をMacの2台目のディスプレイとして使えるので、単純に作業スペースが広がるだけでなく、MacのアプリをiPadのApple Pencilで操作できるようにもなる。この機能を利用するにはいくつか条件があるので、まずは下記にまとめた利用条件を確認しよう。条件さえ整っていれば、コントロールセンターから簡単に接続できる。なお、Macの表示エリアを拡張する使い方（個別のディスプレイとして使用）と、Macの画面をミラーリングする使い方の2通りがある。

MacでSidecarの機能を使ってiPadに接続する

1 コントロールセンターの
　 ディスプレイから接続

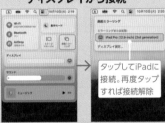

タップしてiPadに接続。再度タップすれば接続解除

Macのコントロールセンターを開き「画面ミラーリング」をクリック。「ミラーリングまたは拡張」の項目として接続可能なiPadの機種名が表示される。これをクリックすればSidecarで接続可能だ。

2 ディスプレイの
　 接続方法を選択する

iPadの画面をどちらの方法で使うかを選択できる

メニューバーにある画面ミラーリングを開き、iPadの名前の横にある「>」マークをクリック。「個別のディスプレイとして使用」するか「内蔵～ディスプレイをミラーリング」するかを選択しよう。

Sidecarの利用条件

- macOS Catalina以降をインストールしたMac
- iPadOS 13以降およびApple Pencil（第1世代、第2世代どちらでも）に対応したiPad
- 両方のデバイスとも同じApple IDでサインイン
- ワイヤレスで接続する場合は、10メートル以内に近づけ、両デバイスでBluetooth、Wi-Fi、Handoffを有効にする。また、iPadはインターネット共有を無効にする
- ケーブルで有線接続する場合は、両デバイスともBluetooth、Wi-Fi、Handoffがオフでもよい。iPadでインターネット共有中でも利用できるが、その場合iPadのWi-FiとBluetoothはオンにする必要がある

画面を広く使える

iPadの画面がMacの画面の拡張エリアとなり、マウスポインタを行き来させて操作できる

iPadの画面をMacの画面の延長として使うモード。余分なウインドウをiPad側に置いて画面を広く使えるので便利だ。Macにはアプリのメイン画面だけ配置してツールやパレットをiPad側に配置したり、ファイルを2つ開いて見比べながら作業したりなどの使い方もできる。

内蔵Retinaディスプレイをミラーリングした場合

ペンタブレット化できる

Macの画面と同じ内容がiPadの画面にも表示される

Macと同じ画面をiPadにも表示するモード。プレゼンなどで相手に同じ画面を見せたい時などに役立つほか、iPadをペンタブレット化できる点も便利。Macでイラストアプリを起動し、iPad側でApple Pencilを使ってイラストを描ける。

使いこなしヒント

iPadの画面はApple Pencilでのみタッチ操作が可能

Sidecarで接続中のiPadは、指ではなくApple Pencilでタッチ操作を行う必要がある。ただし、イラストを描いたり手書き文字を入力したい場合はApple Pencilが必要だが、ただディスプレイとして使うだけなら、タッチ操作する必要もないので大きな問題はない。

ディスプレイの位置関係を変更する

iPad側の画面を上下左右好きな位置にドラッグ

個別のディスプレイとして接続中に、コントロールセンターの「ディスプレイ」→「ディスプレイ設定」を開いたら「配置」ボタンをクリックしよう。これでMacとiPadの画面の位置関係を変更できる。

ウインドウを素早く移動する

クリック

Mac側のウインドウのフルスクリーンボタンにポインタを置き、「○○（iPad名）に移動」で素早くiPad側に移動できる。iPad側では「ウインドウをMacに戻す」でMac側に戻せる。

iPadでサイドバーを使う

サイドバー

iPadの画面左にあるサイドバーで、メニューバーやDockの表示や、装飾キーの使用、取り消しやキーボード表示、接続解除が可能。サイドバーは指でもタッチできる。

iPadでTouch Barを使う

Touch Bar

MacがTouch Bar非搭載の機種でも、iPadの画面下部にはTouch Barが表示され、アプリごとにさまざまなメニューを操作できる。TouchBarは指でも操作できる。

Sidecar利用中にiPadアプリを使う

タップするとSidecarの画面に戻る

Sidecarを利用中でも、ホーム画面に戻ればiPadのアプリを利用することが可能だ。Dockに表示されるSidecarのアイコンをタップすると、Sidecarの画面に戻る。

Mac側の解像度が下がる場合は

MacBook側の解像度を設定

Sidecarでのミラーリング時にMac側の解像度が下がる場合は、コントロールセンターの「ディスプレイ」→「ディスプレイ設定」→「詳細設定」→「解像度をリスト表示」をオンにして、MacBook側の解像度の設定を変更しよう。

Macのマウスやトラックパッドで iPadを操作してみよう

　macOS Montery 12.4以降では、「ユニバーサルコントロール」という機能が搭載されている。これは、Macのマウスやトラックパッド、キーボードを使って、近くにあるiPadやほかのMacを最大2台まで操作できるというもの。単にiPadがマウスやトラックパッドで操作できるというだけではなく、iPadアプリで作成したファイルをMacにドラッグ&ドロップしたり、トラックパッドジェスチャによってiPadを操作したりが可能だ。なお、1台の外部デバイスにつき、Sidecarとユニバーサルコントロールはどちらか1つしか実行できない。

MacとiPadの設定を事前に確認しておこう

1 Macのシステム設定で 設定を行う

Macのシステム設定から「ディスプレイ」を開き、「詳細設定」のボタンをクリック。上のような画面になるので「MacまたはiPadにリンク」の項目すべてをオンにして「完了」をクリックしよう。

2 iPadの設定でカーソルと キーボードを有効にする

iPadの「設定」を開き、「一般」→「AirPlayとHandoff」にある「Handoff」と「カーソルとキーボード」をオンにしておく。そのほかにも、iPadとMacの両方でWi-FiとBluetoothをオンにしておくこと。

ユニバーサルコントロールの利用条件

- macOS Montery 12.4以降を インストールしたMac
- iPadOS 15.4以降をインストールしたiPad
- 両方のデバイスとも同じApple IDでサインイン

- ワイヤレスで接続する場合は、10メートル以内に近づけ、両デバイスでBluetooth、Wi-Fi、Handoffを有効にする。また、iPadはインターネット共有を無効にする

1 コントロールセンターのディスプレイをクリック

ユニバーサルコントロールを使いたい場合は、iPadをMacの近くに置き、Macのコントロールセンターを開いて「ディスプレイ」をクリックしよう。

2 キーボードとマウスをiPadにリンクする

iPadの名前をクリック

「キーボードとマウスをリンク」の項目にiPadの名前が表示される。ここをクリックすればリンクされ、再びクリックすればリンクが解除される。

Macのポインタを画面端から出そう

ユニバーサルコントロールを有効にしたら、Macのポインタを画面の左右どちらかの端から外に移動させてみよう。iPadの画面にポインタが移動するはずだ(ディスプレイの位置の設定はP243で解説)。これでiPadの各種タッチ操作をマウスやトラックパッドで行えるようになる。

iPad側にポインタが表示される

これがiPad側のポインタ表示だ。タップやダブルタップ、ロングタップ、ドラッグなどの操作がマウスやトラックパッドで行える

ポインタを画面端から外に移動させることにより、各デバイスの画面をポインタが移動する

ポインタの移動とタップ系操作

アプリにポインタを合わせてクリックすればアプリを起動できる

ポインタの移動は、マウスやトラックパッドで行い、各種タッチ操作はクリックで代用できる。ロングタップやスワイプなども同じだ。

ピンチイン／ピンチアウト操作

トラックパッドならピンチイン／アウト操作で拡大縮小などが可能だ

ピンチイン／アウト操作は、トラックパッドであればそのまま同じように操作できる。マウス操作の場合は、基本的に対応していない。

ホーム画面やDockなどの各種画面を表示する操作

操作	操作方法
ホーム画面に戻る	アプリ起動中、画面の一番下にある線をクリックする または線を上にドラッグ&ドロップする
Dockを開く	アプリ起動中、ポインタを画面の下端を通り過ぎて下方向に移動する
Appスイッチャーを開く	ホーム画面でポインタを画面の下端を通り過ぎて下方向に移動する
コントロールセンターを開く	画面の右上隅にあるステータスアイコンをクリックする
通知センターを開く	画面の左上隅に表示されている日時をクリックする
検索画面を開く	ホーム画面で下にスクロールする

ホーム画面やDockの表示など基本的な操作方法は上の通りだ。マウスやトラックパッド利用時は、通常のタッチ操作とは少し異なっているので覚えておこう。

トラックパッドを使ったジェスチャ操作

操作	操作方法
スクロールする	2本指で上下左右にスワイプする
拡大／縮小する	2本指でピンチイン／ピンチアウトする
ホーム画面に戻る	3本指で上にスワイプする
Appスイッチャーを開く	3本指で上にスワイプして止めてから指を離す
アプリを切り替える	3本指で左右にスワイプする
「今日」の表示を開く	ホーム画面の最初のページを表示時、2本指で右にスワイプする
検索画面を開く	ホーム画面を表示時、2本指で下にスワイプする
右クリック（副ボタンクリック）	2本指でクリックする

トラックパッドでiPadを操作しているときは、上のようなジェスチャ操作も可能なので覚えておこう。

1 ディスプレイ設定を開く

MacとiPadのディスプレイの位置を調整したい場合は、コントロールセンターの「ディスプレイ」→「ディスプレイ設定」を開こう。

2 iPadの画面をドラッグして位置を調整する

ドラッグで位置を調整。iPadの画面はMacの左右だけではなく、下にも配置できる

Macの画面と、ユニバーサルコントロールでリンクしているiPadの画面が表示される。iPadの画面をドラッグして位置関係を調整しておこう。

キーボードで快適に文字を入力できる

ポインタをiPad側に移動し、メモなどの文字入力できるアプリを起動すれば、Macのキーボードで文字を入力することができる。入力した文字はすぐに自動で変換されていく。自分で変換候補を選びたいときは、スペースキーを押して候補を選び、Returnキーで確定させよう。

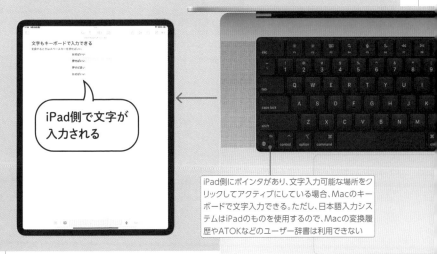

iPad側で文字が入力される

iPad側にポインタがあり、文字入力可能な場所をクリックしてアクティブにしている場合、Macのキーボードで文字入力できる。ただし、日本語入力システムはiPadのものを使用するので、Macの変換履歴やATOKなどのユーザー辞書は利用できない

243

1 Macのファイルをi Padにドラッグ&ドロップする

画像ファイルをPages
にドラッグ&ドロップ

ユニバーサルコントロールが有効な場合、デバイス間でファイルをドラッグ&ドロップすることが可能だ。例えば、Macの画像ファイルをドラッグし、iPadのPagesの画像の上にドロップすると画像の差し替えができる。また、iPadのメールやメッセージアプリなどにも画像をドラッグすることが可能だ。

2 iPadのファイルアプリにあるファイルをMacにドラッグ&ドロップ

iPadのファイル
アプリをMacにド
ラッグ&ドロップ

上の記事とは逆に、iPadからMacへのファイル移動も可能だ。例えば、iPadのファイルアプリでファイルをドラッグし、Macのデスクトップにドロップすると、そのファイルをコピーすることができる。

ドラッグ&ドロップで
次のような操作も行える

- iPadでPDFに手書きメモを書き足し、そのファイルをMacにドラッグ&ドロップする
- iPadのメモアプリで書いた手書きメモを選択してドラッグし、MacのPagesにドロップする
- iPadの写真アプリから写真をドラッグし、Macにドロップしてコピーする
- MacのファイルをiPadのファイルアプリにドラッグ&ドロップしてコピーする

iPad側にファイルを
ドラッグ&ドロップ
できない場合

MacからiPadにファイルをドラッグ&ドロップした際に禁止マークが表示された場合、その位置にはドラッグ&ドロップできないことを示している。この場合でも、ドラッグではなく、ファイルをコピー&ペーストすることで移動できることがある。

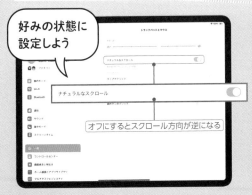

好みの状態に設定しよう

ナチュラルなスクロール

オフにするとスクロール方向が逆になる

iPad側の設定でスクロール方向を逆にできる

iPadの「設定」→「一般」→「トラックパッドとマウス」を開き、「ナチュラルなスクロール」項目でスクロール時の操作方向を設定可能だ。iPadの標準設定ではオンになっていて、指を動かす方向にコンテンツが移動する。オフにするとスクロール方向が逆になる。マウスホイール使用時など、スクロール方向に違和感がある場合はここを変えてみよう。

1 「キーボードを表示する」をクリックする

キーボードを表示

あ

ユニバーサルコントロールを利用中に、iPadでスクリーンキーボードを表示したい場合は、文字入力時に画面下にある「あ」や「A」のボタンを押し、「キーボードを表示」をタップすればいい。

2 スクリーンキーボードが表示される

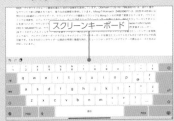

スクリーンキーボード

これにより、iPadの画面下にスクリーンキーボードが表示され、タップ操作で文字入力が行える。なお、この状態でもMacのキーボードで文字入力することが可能だ。

ユニバーサルコントロールでiPadとMacがうまくリンクしないときは?

ユニバーサルコントロールでiPadとMacがリンクできない場合は、iPadがロックやスリープ状態になっていないか確認しよう。iPadのロックやスリープを解除しない状態でないとリンクができない。また、Sidecarを一旦オンにしてからユニバーサルコントロールをオンに切り替えると、リンクできることもあるので試してみよう。

あ ⚡ 🔊 🔋 ⏣ Q 🖥 10月10日(火) 2:40

画面ミラーリング

ミラーリングまたは拡張：

iPad Pro (12.9-inch) (3rd generatio... ∨

内蔵Liquid Retina XDRディスプレイをミ…

Sidecarを一旦オンにしてみよう（P237参照）

Sidecarとユニバーサルコントロールを切り替える

ディスプレイ設定から切り替えよう

Mac1台とiPad1台と連携するとき、Sidecarとユニバーサルコントロールは同時使用ができない。とはいえ、2つの機能を切り替えながら使うことは可能だ。切り替えたいときは、Macの「システム設定」の「ディスプレイ」にある「+」項目で、どちらを使うかを選ぼう。

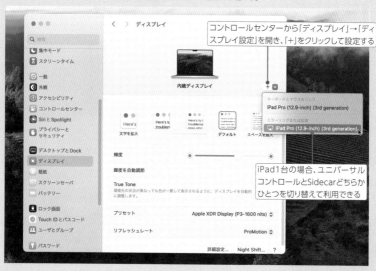

コントロールセンターから「ディスプレイ」→「ディスプレイ設定」を開き、「+」をクリックして設定する

iPad1台の場合、ユニバーサルコントロールとSidecarどちらかひとつを切り替えて利用できる

ユニバーサルコントロールやSidecarの接続を解除する方法

ユニバーサルコントロールやSidecarの接続を解除する場合、「システム設定」→「ディスプレイ」の画面で接続中のiPadの画面をクリック。「接続解除」でデバイスを接続解除できる。この方法なら複数デバイスを接続しているときでも、目的のデバイスのみを解除しやすい。

iPadの画面をクリック

クリックして接続解除する

2つのiPadの画面を同時に利用しよう

もし、iPadを2台持っている場合は、Mac1台とiPad2台と連携させてみよう。この場合、iPadの1台目はSidecar、2台目はユニバーサルコントロールといったような使用が可能だ。なお、2台ともユニバーサルコントロールを使うことは可能だが、2台ともSidecarにすることはできない。

iPad2台を接続して設定する

2台ともユニバーサルコントロールを利用する場合、Macの両サイドにiPadを配置するだけではなく、Macの右側や左側に2台のiPadを連ねて配置することもできる

ユニバーサルコントロール

iPad 1台目

Mac のマウスやキーボードで iPad のアプリを操作できる

Sidecar

iPad 2台目

iPad の画面が Mac のサブディスプレイとして使える

ユニバーサルコントロールではMacも2台まで接続できる

ユニバーサルコントロールでは、Mac1台に対して最大2台までのMacを接続できる。例えば、Macbook AirとiMacを持っている場合、Macbook Airのキーボードとトラックパッドを使ってiMacも操作可能だ。キーボードやマウスが1組不要になるので、机の上の省スペース化にもつながる。複数のMacを持っている人は試してみよう。

Macは2台まで接続可能

Macで開いたPDFや画像に
iPadで指示を書き込む

　Macの書類や画像に手書きで指示や注釈を入れたい時に便利なのが、「連携マークアップ」機能だ。まず、MacでPDFやJPEGなどのファイルを選択してスペースキーを押し、クイックルックで内容をプレビュー表示する。この画面で上部のマークアップボタンをクリックすれば、すぐにiPadの画面にもファイルの内容が表示され、Apple Pencilを使って細かい注釈を書き込めるのだ。この機能は、MacとiPadで同じApple IDを使ってサインインしており、両方のデバイスでWi-FiとBluetoothが有効になっている時に利用できる。

1 Macでマークアップ
ボタンをクリック

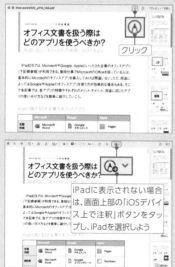

クリック

iPadに表示されない場合は、画面上部の「iOSデバイス上で注釈」ボタンをタップし、iPadを選択しよう

MacでPDFなどのファイルを選択してスペースキーを押し、クイックルックで表示したら、マークアップボタンをクリック。iPadの画面に同じ内容が表示されない時は、さらに注釈ボタンをクリックしよう。

2 iPadでPDFや画像に
指示を書き込む

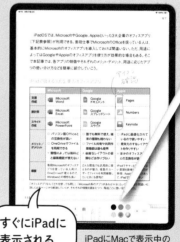

すぐにiPadに
表示される

iPadにMacで表示中のPDFや画像ファイルが表示され、Apple Pencilや指で注釈を書き込める。書き込んだ内容は、リアルタイムでMacBook側に反映される。

iPadで手書きメモを
作成してMacに取り込む

　P248の「連携マークアップ」と同様に、MacとiPadで同じApple IDを使ってサインインしており、両方のデバイスでWi-FiとBluetoothが有効になっていれば、Macで作成中のメモやメールにiPadで描いた手書きの図やイラストを挿入する「連携スケッチ」機能が使える。まずMacでメモやメールを開き、挿入したい場所にカーソルを合わせよう。続けて右クリックメニューから「iPhoneまたはiPadから挿入」を選択し、iPadの「スケッチを追加」をクリック。するとiPad側でスケッチ画面が開いて、Apple Pencilや指で描画できる。

クリック

スケッチを追加

1 「スケッチを追加」を クリックする

Macでメモやメールアプリなどを開き、図やイラストを挿入したい位置にカーソルを合わせる。右クリックメニューから「iPhoneまたはiPadから挿入」を選択し、iPadの「スケッチを追加」をクリックしよう。

2 iPadで スケッチを作成

iPadでスケッチウインドウが開くので、Apple Pencilや指でスケッチを描画しよう。描き終わったら、右上の「完了」をタップすると、Macのカーソル位置にこのイラストが挿入される。

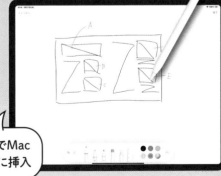

「完了」でMac
の画面に挿入

Macとクリップボードを
共有する

　iPadとiPhoneの間でクリップボードを共有する「ユニバーサルクリップボード」機能は、利用条件が揃っていればiPadとMacの間でも利用できる。MacとiPadで同じApple IDを使ってサインインし、両方のデバイスでWi-FiとBluetoothとHandoffを有効にしておけばよい。MacとiPadでコピーしたテキストや画像、ビデオが共有されるようになるので、Macで入力した長文テキストをコピーしてiPadのメール作成画面に貼り付けたり、iPadにしかない写真をコピーしてMacの書類に貼り付けたりなどのことができる。

1 iPadで写真をコピーする

ユニバーサルクリップボードが使える状態になっているなら、iPadの写真をMacに貼り付けてみよう。まずiPadで写真を開いて、共有メニューから「写真をコピー」をタップ。

2 コピーした写真をMacのWord書類に貼り付ける

画像を貼り付ける

Mac側で貼り付けを行おう。「"○○"からペースト中…」と表示され、少し待つとiPadでコピーした写真が貼り付けられる。今回はWordの書類にペーストしてみた。

使いこなしヒント

MacとiPadでHandoffの有効を確認する

Macでは、Appleメニューから「システム設定」→「一般」→「AirDropとHandoff」→「このMacとiCloudデバイス間でのHandoffを許可」のチェックを確認。iPadでは、「設定」→「一般」→「AirPlayとHandoff」→「Handoff」のスイッチをオンにしておく。

メール管理
の仕事技

重要度の低いCcメールを
フィルタ機能で表示させない

「宛先:自分」フィルタを常時オンにしよう

　仕事で大量に受信するCcメールに悩まされていないだろうか？　本当に共有すべき内容ならいいのだが、当事者同士で済む案件なのに、慣習的に上司や関係者全員をCcに含めて送る企業は多い。自分にあまり関係のないCcメールが頻繁に届くようでは、自分宛ての重要なメールが埋もれてしまって本末転倒だ。そこで、メールアプリのフィルタ機能を設定しておくことをおすすめする。受信トレイの左下にあるフィルタボタンをタップしてオンにし、適用中のフィルタを「宛先:自分」にしておこう。これで、宛先が自分のメールだけを表示し、受信トレイをスッキリ整理できる。なお、フィルタ機能はメールボックスごとに個別に設定でき、一度オンすれば、次回そのメールボックスを開いた時もオンの状態のままになる。

フィルタ機能の基本的な使い方

1 ｜ フィルタボタンを
タップしてオンにする

メールボックスの受信トレイを開いたら、左下の三本線ボタンをタップしよう。フィルタ機能がオンになる。

2 ｜ もう一度タップで
オフにできる

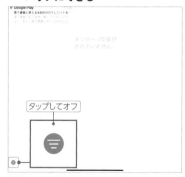

標準だと未開封のメールのみが表示される。三本線ボタンをもう一度タップすると、フィルタがオフになり通常の受信トレイに戻る。

フィルタで自分宛てのメールだけを表示させる

1 適用中のフィルタ をタップ

タップ

適用中のフィルタ:
未開封

受信トレイなどの左下にある三本線ボタンをタップし、フィルタをオンにしたら、「適用中のフィルタ」部分をタップしよう。

2 「宛先:自分」に のみチェックする

チェックを外す

チェックする

「宛先:自分」にチェックを入れる。また、標準だと「未開封」にチェックされているので、タップして外したら「完了」をタップ。

3 宛先がCcのメール は表示されない

適用中のフィルタ:
宛先: 自分

Ccで自分が含まれるメールは表示されず、宛先が自分のメールのみ表示されるようになった。一度フィルタをオンにしておけば、次回メールアプリを起動したときもオンのままになっている。

使いこなしヒント 今日送信された メールのみ表示する

オンにする

さらに受信トレイをスッキリさせたいなら、「今日送信されたメールのみ」フィルタをオンにするのがおすすめ。今日届いたメールの確認・処理は今日中に必ず済ませる、という意志を持って仕事に取り組める。

読まないメールを振り分ける 「VIP」機能の応用ワザ

社内報などは「VIP」に登録して通知させない

メールアプリの「VIP」は本来、重要な相手からのメールだけ自動で振り分けるための機能だ。例えば、プライベートと仕事の両方で付き合いがある人を登録しておけば、プライベートと仕事用、どちらのメールアドレス宛てに連絡が来ても、「VIP」フォルダで横断的に確認できる。また、VIPフォルダにあまり読む必要がないメールを振り分けるという、通常とは逆の使い方も可能だ。というのも、VIPフォルダに届くメールは、個別に通知設定を変更できるという特徴がある。このVIPの通知設定を利用して、毎朝の社内報や進捗状況の報告メールなど、頻繁に届いたり定時連絡されるメールをVIPに振り分けておき、通知をオフにしておこう。毎日届く煩わしい通知がなくなり、自分のタイミングでVIPフォルダを開いて確認できるようになる。

VIPに定時連絡メールなどを追加する

1 メールボックスの VIPをタップする

メールボックス一覧を開き、「VIP」(一人でもVIPを追加済みなら右端にある「i」ボタン)をタップする。

2 「VIPを追加」で 連絡先を追加する

社内報や進捗報告など、毎日届く定時連絡メールアドレスを追加しておこう。この連絡先からのメールは、自動的にVIPメールボックスに振り分けられる。

VIPメールの通知をオフにする

1 VIPの「i」ボタンを タップする

VIPメールの通知を変更するには、まずメールボックス一覧で、「VIP」の右端にある「i」ボタンをタップする。

2 「VIP通知」を タップする

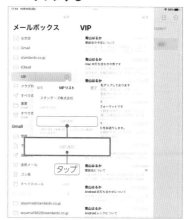

VIPに追加した連絡先一覧が表示されるので、続けて「VIP通知」をタップしよう。なお「編集」をタップすれば、VIPに追加した連絡先を削除できる。

3 VIPメールの 通知を設定

VIPメールだけの通知を設定できる。「通知」をオフにしておけば、この連絡先からのメールは通知されない。「バッジ」のみオンにしておけば、新着メールがあることはバッジで把握できる。

4 VIPフォルダは今日の メールだけ表示

また、重要度の低いメールを振り分ける場所なので、今日届いた分は一度ざっと確認したらもう表示させない設定もおすすめ。VIPフォルダで「今日送信されたメールのみ」フィルタをオンにしておこう。

メールはすべて
Gmailを経由させる

会社の送信メールも含めてGmailに保存できる

Googleの無料メールサービスである「Gmail」は、「○○@gmail.com」アドレスでメールをやり取りできるだけでなく、会社や自宅のメールアカウントを追加してGmailサーバ経由で送受信できるようにするといった設定も可能だ。この設定を済ませておくと、会社のアカウントで送受信したメールが自動的にGmailにも溜まっていき、Gmailをバックアップ先として利用できる。メールの作成時にアドレスを切り替えるか、デフォルトのメールアドレスを会社のメールアドレスに変更しておけば、相手にはきちんと会社のメールアドレスから送信されているように見える。また、会社の送受信メールボックスをGmailを通して管理することで、さらに大きなメリットも生まれる。同じGoogleアカウントでログインするだけで、iPadでもパソコンでもスマートフォンでも同じ状態のメールボックスを確認できる上に、Gmailの強力な検索機能（P260で解説）や、ラベルやフィルタによる整理なども、会社メールに適用できるのだ。最初の設定さえ済ませれば、あとはメールの管理が非常に楽になるので、ぜひ活用しよう。

設定にはWeb版Gmailの操作が必要

1 Web版Gmailの設定を開く

会社のメールアカウントを設定するには、Web版Gmail（https://mail.google.com/）にアクセスする必要がある。右上の歯車ボタンをタップし、表示されたメニューから「すべての設定を表示」をタップしよう。

2 メールアカウントを追加するをタップ

続けて「アカウントとインポート」タブを開き、「メールアカウントを追加する」をタップしよう。新規タブで、メールアカウントを追加する画面が開く。

Gmailに会社のメールアカウントを設定する①

3 会社のメール アドレスを入力

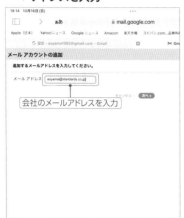

メールアカウントの追加画面が開いたら、「メールアドレス」欄に、Gmailで送受信したい会社のメールアドレスを入力し、「次へ」をタップする。

4 「他のアカウントから〜」 にチェックして次へ

「他のアカウントから〜」にチェックして「次へ」。なお、追加するアドレスがYahoo、AOL、Outlook、Hotmailなどであれば、Gmailify機能で簡単にリンクできる。

5 受信用のPOP3 サーバーを設定する

POP3サーバー名やユーザー名/パスワードを入力して「アカウントを追加」をタップ。会社メールだけを素早く表示できるように、「〜ラベルを付ける」にチェックしておくこと。

6 送信元アドレス として追加しておく

Gmail経由でこのアドレスから送信できるように、「はい」にチェックしたまま「次へ」。後からでも設定の「アカウントとインポート」→「他のメールアドレスを追加」で変更できる。

Gmailに会社のメールアカウントを設定する②

7 | 送信元アドレスの表示名を入力

「はい」を選択した場合、送信元アドレスとして使った場合の差出人名を入力できる。名前を入力したら「次のステップ」をタップ。

8 | 送信用のSMTPサーバーを設定する

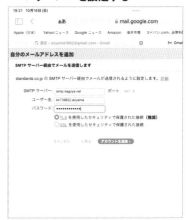

追加した会社メールを差出人としてメールを送信する際に使う、SMTPサーバーの設定を入力して、「アカウントを追加」をタップする。

9 | 確認コードの入力欄が表示される

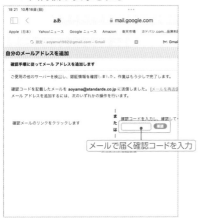

アカウントを認証するための確認メールが、追加した会社のメールアドレス宛てに送信され、確認コードの入力欄が表示される。

10 | 確認メールで認証を済ませて設定完了

ここまでの設定が問題なければ、確認メールはGmail宛てに届く。「確認コード」の数字を入力欄に入力するか、または「下記のリンクをクリックして〜」をタップすれば、認証が済み設定完了。

Gmailで会社のメールアドレスから送信する

1 Gmailアプリで新規メールを作成

Gmail
作者 Google LLC
価格 無料

タップ

/ 作成

Gmailアプリをインストールして、Googleアカウント
でログインしよう。新規メールを作成するには、右下
の「作成」ボタンをタップする。

2 送信元を会社のアドレスに変更

送信元: aoyama@standards.co.jp

タップ

「From」欄をタップすると、送信元アドレスをGmail
アドレスではなく、追加した会社のメールアドレスに
変更できる。あとは、通常通りメールを作成して送
信すれば、相手にはいつもの通り会社のメールアド
レスからメールが届く。そして、送信したメールは、
Gmailの「送信済みメール」に保存される。

使いこなしヒント

会社メールをGmailの標準アドレスにする

Gmailのアドレスを使わないなら、
Web版Gmailの歯車ボタンから
「すべての設定を表示」→「アカウン
トとインポート」を開き、追加した会
社のメールアドレスの「デフォルトに
設定」をタップしておこう。新規メー
ルを作成する際は、このアドレスが
標準で送信元アドレスとして選択
されるようになる。

タップ

デフォルトに設定

Gmailの演算子で必要な
メールを素早く探し出す

複数の演算子を組み合わせて効率的に絞り込もう

　P256で解説したように、会社のメールをすべてGmailを経由して送受信することで利用できるようになるのが、Gmailの強力な検索機能だ。単純にキーワード検索するだけでも便利だが、キーワードだけだと送信者や受信者、件名、本文などすべてを対象にして検索してしまう。これでは、関係のないメールも大量にヒットしてしまって見つけづらい。メールをよりピンポイントで探し出したいなら、「検索演算子」と呼ばれるGmailの検索コマンドを覚えておこう。Gmailで利用できる演算子は数多いが、送信者や件名を指定したり、検索期間を指定するなど、主要なものを覚えておけば日常的な検索には困らない。また、演算子は複数を組み合わせて利用できるので、例えば「青山さんから送られてきた、件名に"打ち合わせ"を含むメールを、2022/01/01から2022/12/31の間で」検索するといったことも可能だ。

Gmailで利用できる主な演算子

from:	送信者を指定
to:	受信者を指定
cc:	Ccの受信者を指定
bcc:	Bccの受信者を指定
subject:	件名に含まれる単語を指定
-(ハイフン)	検索結果から除外するキーワードの指定
OR	A OR Bでいずれか一方に一致するメールを検索
"　"(引用符)	引用符内のフレーズと完全に一致するメールを検索
after:	指定日以降に送受信したメールを検索
before:	指定日以前に送受信したメールを検索
label:	指定したラベルのメールを検索
is:starred	スター付きのメールを検索
is:unread	未読のメールを検索
is:read	既読のメールを検索
in:anywhere	迷惑メールやゴミ箱にあるメールを含むすべてのメールから検索
has:attachment	ファイルが添付されたメールを検索
filename:	pdfやtxtなど指定した名前や形式の添付ファイルがあるメールを検索

Gmailの検索方法と演算子を使用した検索例

1 | Gmailアプリの検索欄をタップ

Gmailアプリを起動すると、上部にキーワード検索欄が表示されている。この検索欄をタップしよう。

2 | 演算子を使ってメールを検索する

下記の例のように、複数の演算子を組み合わせてキーワード検索してみよう。目的のメールをピンポイントで素早く探し出せる。

---

from:aoyama

送信者のメールアドレスまたは送信者名に「aoyama」が含まれるメールを検索。大文字と小文字は区別されない。

from:青山 OR from:西川

送信者が「青山」または「西川」のメッセージを検索。「OR」は大文字で入力する必要があるので要注意。

from:青山 subject:会議

送信者名が「青山」で、件名に「会議」が含まれるメールを検索。送信者名は漢字やひらがなでも指定できる。

after:2022/06/20

2022年6月20日以降に送受信したメールを指定。「before:」と組み合わせれば、指定した日付間のメールを検索できる。

from:青山 "会議の資料"

送信者名が「青山」で、件名や本文に「会議の資料」を含むメールを検索。英語の場合、大文字と小文字は区別されない。

filename:pdf

PDFファイルが添付されたメールを検索。本文中にPDFファイルへのリンクが記載されているメールも対象となる。

Gmailの情報保護モードを利用する

送ったメールを1日後や1週間後に自動で読めなくする

　個人情報や仕事上の機密情報はあまりメールに記載すべきではないが、どうしてもメールで相手に伝える必要がある場合は、Gmailアプリで「情報保護モード」を設定してから送信しよう。メールの表示期限を1日後や1週間後に設定することができ、受け取った相手はその表示期限を過ぎるとメール内容を表示できなくなる。また情報保護モードで送られたメールは、転送やダウンロード、コピーも禁止される。さらに、相手がメールを表示するのにSMS認証が必要になるように設定したり、期限をまたずに強制的にメールを読めなくすることも可能だ。

1 Gmailアプリで 情報保護モードを選択

情報保護モード

タップ

Gmailアプリで機密情報などが記載されたメールを作成したら、右上の「…」をタップして「情報保護モード」を選択する。

2 表示期限の設定を 済ませて送信する

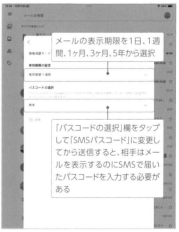

メールの表示期限を1日、1週間、1ヶ月、3ヶ月、5年から選択

「パスコードの選択」欄をタップして「SMSパスコード」に変更してから送信すると、相手はメールを表示するのにSMSで届いたパスコードを入力する必要がある

「有効期限の設定」でメールの表示期限を設定して送信しよう。なお情報保護モードで送信したメールを開き、「アクセス権を取り消す」をタップすれば、相手はすぐにメールが読めなくなる。

仕事で使いこなすための メールアプリ便利技

意外と多機能なメールアプリを使いこなそう

　iPadの標準メールアプリがシンプルすぎて物足りないという人は、まだまだ使いこなせていないだけかもしれない。メールアプリは意外と機能が豊富で、より手軽に操作するためのさまざまな手段も用意されているのだ。ここでは、メールの送信取り消しや予約送信、返信忘れを防ぐリマインド機能など、覚えておくと仕事メールのやり取りに重宝する機能や、あまり知られていないメールアプリの便利技を紹介していく。普通にメールを送受信しているだけでは気付くにくい、これらの機能を活用して、仕事メールを効率的に処理しよう。

大量の未読メールをまとめて開封済みにする

1 すべてのメールを 選択する

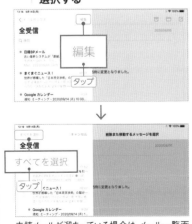

2 「開封済みにする」 でまとめて開封

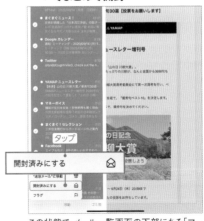

未読メールが溜まっている場合は、メール一覧画面の上部にある「編集」→「すべてを選択」をタップしよう。すべてのメールが選択状態になる。

この状態で、メール一覧画面の下部にある「マーク」→「開封済みにする」をタップすると、すべての未読メールをまとめて開封済みにできる。

メールの送信を取り消す

1 | 送信を取り消せる時間を設定

10秒〜30秒から選択。オフを選択すると取り消しを行わない

メールアプリでメールを送信したあとも、しばらくの間は送信を取り消せる。まず、「設定」→「メール」→「送信を取り消すまでの時間」で、送信を取り消せる猶予時間を設定しておこう。

2 | メールを送ったあとに送信を取り消す

タップして送信を取り消す

メールを作成して送信ボタンをタップすると、メール一覧の下部に「送信を取り消す」が設定した時間まで表示される。これをタップすると、送信が取り消されて元のメール作成画面に戻る。

作成したメールを指定日時に送信する

1 | 送信ボタンをロングタップ

ロングタップ

メールの送信ボタンをロングタップすると、予約送信メニューが表示される。「今夜21:00に送信」「明日8:00に送信」などの項目から選択するか、「あとで送信」をタップ。

2 | あとで送信する日時を指定する

予約送信する日時を指定

「あとで送信」をタップすると日時を自由に指定できる。予約送信メールは「あとで送信」メールボックスに保存されており、送信前なら「編集」で送信日時の変更などを行える。

忘れず返信したいメールを指定日時にリマインド

1 | リマインダーを タップする

右にスワイプしてタップ

あとで確認したいメールは、左から右にスワイプして「リマインダー」をタップしよう。「1時間後にリマインダー」「明日リマインダー」などの項目から選択するか、「あとでリマインダー」をタップ。

2 | あとで通知する 日時を指定する

時刻も指定する場合はオンにする

「あとでリマインダー」をタップすると日時を自由に指定できる。指定した日時になると、「リマインダー」ラベルが付いた状態で受信メールボックスの一番上に表示される。

メールアカウントごとに通知を設定する

1 | 通知をカスタマイズ をタップ

アカウントを選んでタップ

複数のメールアカウントを追加している時は、それぞれのアカウントに届くメールに対し、個別に通知設定が可能だ。「設定」→「通知」→「メール」→「通知をカスタマイズ」でアカウントを選択しよう。

2 | アカウントごとに 通知方法を設定

個別に通知設定を施す。メールの送り主ごとに通知方法を変更したい場合はVIPの通知設定(P254で解説)を利用しよう

アカウントごとに、通知の有無とサウンドの指定、バッジ表示の有無を変更できる。重要な仕事用アカウントはすべてオンにしておき、個人メールはバッジのみにしておくなどして使い分けよう。

連絡先リストでメールを一斉送信する

1 | 連絡先アプリで リストを作成する

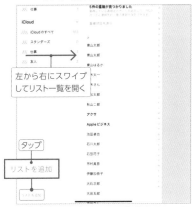

まず、連絡先アプリでリストを作成する。サイドメニューでリスト一覧画面を開いたら、下部の「リストを追加」をタップし、「仕事」や「友人」といったリストを作成しておこう。

2 | リストに連絡先を 追加する

作成したリストをタップして開き、右上の「＋」ボタンをタップ。このリストに追加する連絡先にチェックを入れて、右上の「完了」ボタンをタップしよう。

3 | リストのメール ボタンをタップ

リストに連絡先を追加したら、上部のメールボタンをタップする。または、メールアプリでメール作成画面の宛先にリスト名を入力してもよい。

4 | リストのメンバーに メールを一斉送信

リスト内の連絡先が全員宛先に追加された状態で、メールの新規メッセージ画面が開く。あとはメールを作成して送信ボタンをタップするだけだ。

複数アカウントの送信済みメールをまとめて確認する

1 | メールボックスの編集画面を開く

複数のメールアカウントを追加している時は、「全受信」ですべての受信メールを確認できるが、同様に送信済みメールもまとめて確認できるようにしよう。まず、メールボックス一覧の「編集」をタップ。

2 | 「すべての送信済み」を表示させる

「すべての送信済み」にチェックすると、メールボックス一覧に表示されるようになる。このメールボックスを開くと、すべてメールアカウントの送信済みメールをまとめて確認できる。

送信メールを常に自分宛てにも送信する

1 | 常にBccに自分を追加をオンにする

会社のメールアカウントをPOP形式でメールアプリに追加していると、iPadから会社のメールアカウントを使って送信したメールを会社のパソコンで確認できない。そこで「設定」→「メール」で「常にBccに自分を追加」をオンにしておこう。

2 | Bccに差出人アドレスが自動で追加される

メール作成時の「Bcc」欄に、差出人と同じメールアドレスが自動で追加され、送ったメールが自分にも届くようになる。これで、会社のパソコンなどでもiPadから送信したメールを確認できる。

その他の覚えておきたい機能と操作

複数のメールを
2本指で素早く選択

複数のメールを選択するには、2本指で上下にスワイプするだけでよい。選択したくないメールがあれば一度指を離して飛ばすこともできる。

メールを削除する
前に確認する

「設定」→「メール」→「削除前に確認」をオンにしておくと、メールを削除する際に確認メッセージが表示されるようになり、誤操作を防げる。

メールの検索機能を
使いこなす

メール一覧画面の上部にある検索ボックスで、差出人や件名、本文を検索できる。すべてのメールボックスから横断検索も可能だ。

下書きメールを
素早く呼び出す

新規メール作成ボタンをロングタップすると、保存済みの下書きメールを素早く呼び出して、続きを作成できる。

メール本文の一部を
引用して返信する

メールの一部を選択状態にした上で返信ボタンをタップすると、選択したテキストのみが引用された状態で返信メールを作成できる。

メールを新着順に
一覧表示する

「設定」→「メール」→「スレッドにまとめる」をオフにすると、返信でやり取りしたメールがスレッドでまとめて表示されず、一通一通のメールが新着順に表示されるようになる。

SECTION

10

その他
の仕事技

画質のよいWebカメラを
接続してビデオ会議に参加する

USB接続で外部カメラの映像を取り込めるようになった

　iPadOS 17では、新しくUVC（USB Video device Class）という規格をサポートするようになった。これにより、Webカメラなどの外部ビデオデバイスをUSB Type-Cポートに直接接続して、手軽に映像を取り込むことが可能だ。ただし、外部デバイスからの映像取り込みはアプリ側の対応も必要となる。標準アプリの「FaceTime」はすでに対応しているため、外部カメラの映像でビデオ通話が可能。UVC対応の高画質な外部カメラがあれば、iPadの前面カメラよりもきれいな映像でビデオ会議に参加することができる。なお、ビデオ会議アプリの定番である「Zoom Meetings」は、2023年9月末時点で外部カメラによる映像取り込みには対応していない。今後のアップデートでの対応に期待しよう。

FaceTime通話で外部カメラを使うことが可能だ

USB-Cポート

外部カメラをUSB接続すると自動で認識し、FaceTime通話時に外部カメラの映像が使われる。そのほかのUVC対応アプリでも映像取り込みが可能だ。

使いこなし
ヒント

UVC対応のiPadについて

iPadOS 17でUVCに対応するiPadは、右で挙げたUSB Type-Cポートを搭載している比較的新しい機種のみだ。なお、iPhoneに関しては、今のところUVC対応していない。

iPad Pro 12.9インチ（第3世代）以降
iPad Pro 11インチ（第1世代）以降
iPad（第10世代）以降
iPad Air（第4世代）以降
iPad mini（第6世代）以降

ビデオ会議の映像を高画質にするオススメのWebカメラ

　ビデオ会議の映像を外部カメラで高画質にしたいなら、2万円前後のWebカメラが狙い目。この価格帯であれば、フルHD1080p（1920×1080px）の高解像度だけでなく、60fpsのフレームレートにも対応し、きれいで滑らかな映像になる。

ロジクール
C980GR
実勢価格 19,897円（税込）

フルHD1080p／60fpsの滑らかな映像で撮影が可能な小型Webカメラ。クリップモニターマウントにより、iPadの上にひっかけて使える。USB type-Cケーブルも付属し、ケーブル一本で接続可能だ。

Elgato
Facecam
実勢価格 24,980円（税込）

YouTuberなどのストリーマー業界で人気の高画質Webカメラ。SONY製のSTARVIS™ CMOSセンサーを搭載し、室内でも美しい映像を記録できる。こちらもフルHD1080p／60fpsに対応。

使いこなし
ヒント

iPadをモバイルモニタとして使うこともできる

USB接続のHDMIキャプチャデバイスを利用すれば、iPadをモバイルモニターとして活用できる。方法としては、まず「Elgato Cam Link 4K」に代表されるUSBキャプチャデバイスをUSB Type-Cポートに変換して接続。あとはiPad側は「Camo Studio」などのUVC対応アプリを起動して必要な設定をするだけだ。iPadをWindowsのサブモニタにしたり、動画撮影時の確認用モニタにしたりなど、色々な場面で活用できる。

「Camo Studio」は、iPadの内蔵カメラのほか、接続した外部デバイスの映像を取り込みつつ、動画配信が行えるOBSのようなアプリだ

Elgato
Elgato Cam Link 4K
実勢価格 18,864円（税込）

Camo Studio –
Streams & Video
作者 Reincubate
価格 無料

高精度で自然な表現がすごい 翻訳アプリ

DeepLを使ってテキストや文書ファイル、画像などを翻訳しよう

　「DeepL翻訳」は、高精度な翻訳で定評のある翻訳サービスだ。ほかの競合サービスに比べ、誤訳が少なく自然な文章で翻訳してくれるのが特徴。テキストだけでなく、文書ファイルや画像の読み込み、音声入力で認識した文章の翻訳もスムーズに行える。なお、無料でアプリを使う場合、一度に翻訳できるのは5000文字まで、文書ファイルの翻訳にもサイズ制限がある。月額1,000円からの有料プランを契約すれば、翻訳できる文字数が無制限になり、翻訳できるファイルサイズやファイル数も増える。頻繁に使いたい人は有料プランの加入を検討しよう。

DeeIL翻訳を使ってテキストを翻訳してみよう

1 原文と訳文の言語を設定しておこう

DeepL 翻訳
作者 DeepL GmbH
価格 無料

DeepL翻訳のアプリを起動したら、画面最下部にある「翻訳ツール」をタップ。最上部で原文と訳文の言語を設定しておこう。ここでは原文を「英語」に、訳文を「日本語」にしている。

2 翻訳したい文章を入力すれば自動翻訳される

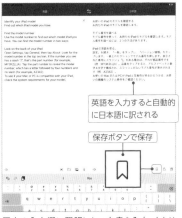

英語を入力すると自動的に日本語に訳される

保存ボタンで保存

原文の入力欄に翻訳したい文章を入力、またはペーストしよう。すると訳文の欄に自動的に翻訳される。保存ボタンで原文と訳文を保存しておけば、あとで画面下の「保存済み」から閲覧が可能だ。

カメラや文書ファイル、写真、音声から翻訳する

1 翻訳の方法をボタンから選ぶ

DeepL翻訳では、テキストの翻訳以外にも、「カメラ」、「ファイル」、「写真」、「音声」の翻訳機能が用意されている。それぞれは、画面下にあるボタンをタップすれば利用可能だ。

2 カメラで映したテキストを即座に翻訳

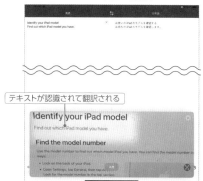

テキストが認識されて翻訳される

「カメラ」では、翻訳したいテキストをカメラで写して翻訳できる。画面下の映像で明るく表示された領域がテキストとして認識され、即座に翻訳可能だ。テキストを取り組む場合は「入力」をタップしよう。

3 文書ファイルや画像のテキストを翻訳する

翻訳したいファイルや画像を選択。なお、ファイルや画像の翻訳は、サイズ制限や文字数制限、回数制限などがある。詳しくはDeepL翻訳の公式サイトをチェックしよう

「ファイル」では、WordやPowerPoint、PDF、テキスト、HTMLなどの文書ファイルを読み込んで翻訳できる。「画像」では、画像内のテキストを認識して翻訳が可能だ。

4 iPadに話しかけて音声を翻訳する

iPadに話しかけるとリアルタイムに音声を認識してくれる。「録音停止ボタン」を押せば翻訳される

「音声」では、音声入力で翻訳が可能だ。原文を「日本語」、訳文を「英語」にし、音声入力したあとに「録音停止」ボタンを押そう。翻訳後にスピーカーボタンを押せば、訳文を音声で読んでくれる。

使いこなしヒント

手書き文字を翻訳したい場合はGoogle翻訳が便利

DeepL翻訳は、手書き文字の翻訳には対応していない。手書き文字を翻訳したい場合は、Google翻訳を使おう（P80で解説）。

画像スタンプで押印した
PDF書類を作成する

PDF Expertではんこ画像などをスタンプとして登録する

　取引先に送るPDFの請求書や社内でやり取りするPDF書類などで、自分のはんこを画像スタンプとして押印したい場合、「PDF Expert」を使うと簡単だ。まずは適当な電子印影作成サイトではんこ画像を作成してダウンロード。iPadの「写真」アプリ内に保存しておく。PDF Expertで押印したいPDFを開き、画像スタンプとしてはんこ画像を読み込んで貼り付ければ完了だ。はんこ文化がまだ根強く残っている業種などでは重宝するテクニックとなる。なお、画像スタンプは単に画像を貼り付けているだけなので、電子署名のような厳密なものではない。

スタンプにしたい画像をダウンロードして写真に保存する

1　電子印影サイトで　はんこ画像を作る

電子印影
URL https://denshi-inei.join-app.online/stamp/home
価格 無料

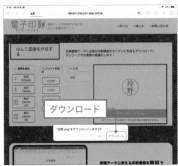

まずは自分で使いたいスタンプ用の画像を用意しよう。はんこ画像をスタンプにしたいのであれば、Safariで上の「電子印影」サイトにアクセスし、はんこ画像を作ってダウンロードしておくといい。

2　はんこ画像をファイルアプリで　「写真」に保存しておく

共有ボタンから「画像を保存」しておく

画像を保存

Safariでダウンロードした画像は、標準設定だと、iCloud Driveの「ダウンロード」フォルダに保存されている

「ファイル」アプリを開き、ダウンロードしたはんこ画像を開こう。画面右上の共有ボタンをタップして、「画像を保存」を選択。すると、iPadの「写真」アプリにはんこ画像が保存される。

PDF Expertを使ってPDFにスタンプを押印する

1 書類のPDFを PDF Expertで開く

PDF Expert
作者 Readdle
Technologies Limited
価格 無料

PDF Expertを開き、押印したい書類のPDFを開こう。画面上部にある「記入と署名」タブを開いたら、「スタンプ」→「カスタム」→「新規画像スタンプ」とタップしていく。

2 写真内にあるはんこ画像を 読み込もう

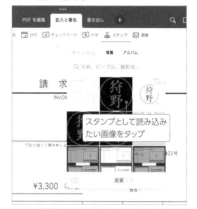

iPadの「写真」アプリ内にある画像が一覧表示されるので、先ほど保存したはんこ画像をタップして読み込もう。

3 読み込んだ画像スタンプを タップする

読み込んだ画像が画像スタンプとして登録される。書類に貼り付けたい画像スタンプをタップしよう。なお、画像スタンプは複数登録しておけるので、使いそうな印影をあらかじめ登録しておくといい。

4 画像スタンプの 位置やサイズを調整する

タップした画像スタンプが書類に貼り付けられる。ドラッグ&ドロップでサイズや位置を調整して、好きな場所に印影を配置しておこう。あとはこのPDFをメールなどで共有すればいい。

iPadで外付けストレージを利用する

USBドライブを接続して中身のファイルを読み込んでみよう

　iPadは、USBハブやアダプタ、カードリーダーなどを介することで、USBドライブやUSBメモリ、SDカードなどの外付けストレージを接続できる。外付けドライブをiPadに接続したら、「ファイル」アプリで中身のファイルにアクセスしてみよう。これなら、自宅のパソコンで作成したデータを外付けドライブに保存し、外出先でiPadに読み込ませたり、修正して保存し直したりなどが可能だ。また、オフィス系アプリで、外付けドライブ内のファイルや画像を読み込むこともできる。クラウドストレージと違い、オフライン環境でも使え、容量を気にしなくて済むのがメリットだ。

iPadに接続したUSBドライブはファイルアプリからアクセスできる

USBメモリやSDカードなども読み込める

「場所」に外付けドライブの名前が表示されるのでタップ

iPadにUSBドライブを接続してみよう。「ファイル」アプリを起動すると、接続しているドライブ名が表示されるのでタップ。すると、接続しているドライブの中身にアクセスできる。ファイルアプリ以外でも、対応アプリならファイルの読み書きが可能だ。

Excelアプリから USBドライブにアクセスする

1 USBドライブから ファイルを開く

ファイルアプリから アクセスできる

USBドライブには、オフィス系アプリからでもアクセス可能だ。例えば、ExcelでUSBドライブ内のファイルを開きたい場合は、最初の画面でフォルダアイコンをタップし、「ファイルアプリ」から開こう。

2 USBドライブへ ファイルを保存する

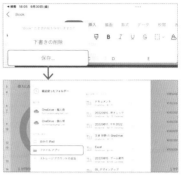

Excelで新規作成したファイルをUSBドライブに保存したい場合は、上の画面のようなダイアログが表示されたら「保存」をタップして、「ファイルアプリ」から保存先を指定すればいい。

PagesでUSBドライブから画像を読み込む

「挿入元」をタップ

USBドライブから画像を開く

PagesなどApple製のオフィスアプリでは、画像の読み込みもUSBドライブから行える。画面上部の写真ボタンをタップして「挿入元」でファイル選択画面を開き、目的の画像を挿入しよう。

使いこなし ヒント

USBドライブのフォーマットはパソコンで行おう

USBドライブのフォーマットは、iPadだと行えないのでパソコンを使用しよう。なお、iPadに対応するUSBドライブは、データパーティションが1つのみであり、FAT、FAT32、exFAT（FAT64）、またはAPFSでフォーマットされている必要がある。

Safariのプロファイルを
用途に応じて切り替える

仕事用とプライベート用で設定を変えておくことが可能

iPadOS 17では、Safariに「プロファイル」機能が追加され、「仕事用」や「プライベート用」のようにプロファイル（使用環境）を切り替えて利用できるようになった。タブグループやお気に入り、履歴、機能拡張（のオン／オフ）といった環境を用途に応じて使い分けることが可能だ。

Safariのプロファイルを作成して切り替えてみよう

1 Safariのプロファイルを 新規作成する

まずはSafariのプロファイルを新規作成しよう。「設定」→「Safari」→「新規プロファイル」をタップしたら、プロファイルの名前やアイコン、お気に入りを管理するフォルダなどを決めておく。

2 Safariでプロファイルを 切り替える

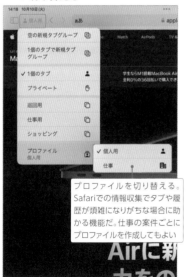

プロファイルを切り替える。Safariでの情報収集でタブや履歴が煩雑になりがちな場合に助かる機能だ。仕事の案件ごとにプロファイルを作成してもよい

Safariを起動すると、画面左上に「個人用（デフォルトのプロファイル名）」というボタンが表示される。ここをタップして「プロファイル」から先ほど新規作成したプロファイルに切り替えることが可能だ。

ドラッグ&ドロップでデータを
一時保存し作業を効率化する

コピー履歴を一時的に保存しまとめてペーストできる

　iPadではクリップボードの履歴をひとつしか残せないので、複数のデータをコピペするには、一度コピーしてからペーストという作業を何度も繰り返すことになる。このコピペ作業の繰り返しを効率化するクリップボード拡張アプリが「Yoink」だ。Slide Overなどのマルチタスク画面でYoinkを表示しておくと、iPadでコピーしたテキストや画像、ファイルなどが次々にYoinkの画面に一時保存されていき、その履歴をドラッグ&ドロップでまとめて他のアプリにペーストできる。特に、複数の資料に分散しているデータを、ノートアプリで一箇所にまとめて整理したいといった作業で活躍する。Yoinkをより快適に利用するには、あらかじめいくつかの設定を済ませておくのがおすすめだ。まず「設定」→「Yoink」を開き、「ほかのアプリからペースト」（一度何かをコピーすると設定画面に現れる）を「許可」に変更。また「iCloud同期」をオンにし、「Yoinkがすべきことは」を「自動的に保存する」に変更しておこう。

1 Yoinkの画面に
コピー履歴を残す

Yoink
作者 Matthias
Gansrigler
価格 900円

コピーした内容はすべてYoinkにすべて保存される。ステージマネージャやSplit View、Slide OverなどでYoinkの画面を開いておかないと、最後にコピーした内容しかYoinkに保存されない点に注意しよう

Slide OverなどでYoinkの画面を開いておき、テキストや画像、ファイルなどを次々にコピーしていこう。コピーした内容はすべてYoinkに一時保存される。iPhone版Yoinkとも瞬時に同期する。

2 コピーしたデータは
ドラッグしてペースト

ドラッグ&ドロップ
で一気にペースト

Yoinkに一時保存したデータは、ドラッグ&ドロップで他のアプリへ手軽にペーストできる。必要な資料をまとめてノートに貼り付けたり、バラバラの場所にある画像を添付してメールする場合など、さまざまなシーンで活躍する。

iPadをWindowsパソコンの
サブディスプレイにする

Sidecarと似た機能をWindowsでも実現する

iPadをMacのサブディスプレイにする「Sidecar」(P237で解説)と似た機能を、Windowsでも実現するアプリが「Duet Display」だ。Windows側で専用ソフトを起動し、iPadでもアプリを起動しておけば、あとはUSBケーブルで接続するだけ(ワイヤレスで接続するには7,000円／年が必要)で、iPadをWindowsパソコンの2台目のディスプレイとして利用できる。Windowsの画面の延長上にiPadの画面があるので、余分なウインドウをiPad側に置いて画面を広く使ったり、ファイルを2つの画面で開いて見比べながら効率よく作業することが可能だ。

1 | パソコンとiPadにアプリをインストール

 Duet Display
作者 Duet, Inc.
価格 無料

パソコン側では、公式サイト(https://www.duetdisplay.com/)からWindows用ソフトを入手し、起動してサインインを済ませる。続けてiPad側にもアプリをインストールして起動しよう。

2 | ケーブルで接続してiPadをサブディスプレイにする

iPadの画面はタッチ操作が可能

WindowsとiPadでそれぞれ「Duet Display」を起動した状態でUSBケーブルで接続すると、iPadがWindowsのサブディスプレイになる。標準設定では、Windowsの画面の右端とiPadの画面の左端が地続きになり、マウスポインタが行き来できる。iPad側の画面も、カーソルを移動すればマウスで操作できるほか、指やApple Pencilを使ったタッチ操作も可能だ。

通知の読み上げ機能を利用する

Siriに新着メッセージなどの内容を読み上げてもらう

　iPadに通知が届いたのに、手が離せなかったり画面を見ることができないときに便利なのが、「通知の読み上げ」機能だ。メッセージなどが届いた際に、その内容をSiriが読み上げるので、画面を見ることなく内容を把握できる。さらに、通知の読み上げが終わったタイミングで「○○と返信して」などと伝えると、そのまま返信メッセージの送信も可能だ。このとき、Siriは送信内容を復唱してから送信していいか確認するが、設定で「確認なしに返信」をオンにしておけば、内容の復唱と確認を行わずに返信メッセージを送信する。なお、通知の読み上げは、対応イヤホン（第1世代を除くAirPodsシリーズかBeatsブランド製品の一部）を接続中で、iPadの画面がロック中の場合にのみ行われるが、「設定」→「アクセシビリティ」→「Siri」→「スピーカーで通知を読み上げ」をオンにしておけば、iPadの内蔵スピーカーでも読み上げてくれる。

1 | 通知の読み上げを有効にする

「通知の読み上げ」と「ヘッドフォン」をオン

返信時の確認が不要ならオンにする

「設定」→「通知」→「通知の読み上げ」で、「通知の読み上げ」と「ヘッドフォン」をオンにすると、対応ヘッドフォンの接続時に届いた通知を、Siriが読み上げてくれるようになる。

2 | 通知を読み上げるアプリを選択

オンにする

続けて、下部にあるアプリ一覧から、メッセージなど通知を読み上げて欲しいアプリを選択し、「通知の読み上げ」をオンにしよう。iPadの画面がロック中に新着メッセージが届くと、「○○から○○というメッセージが届いています」などと読み上げてくれる。

Xの検索オプションで
情報収集を効率化する

言語や期間、画像付きなどでポストを絞り込める

　X（旧Twitter）は最新ニュースや業界のトレンドをリアルタイムでチェックし、その反応を確認する上でも欠かせない情報収集に最適なサービスだが、漠然と検索しても必要な情報を絞り込むのが難しい。そんな時は、キーワードに検索オプションを組み合わせて探そう。たとえば英語の製品名などでキーワード検索すると、「話題」タブでは日本語ポストが優先されるが、「最新」タブでは世界中のユーザーのポストが時系列で表示されてしまう。その中から日本語のポストだけを抽出したい場合は、キーワードの後にスペースを入れ、続けて「lang:ja」と入力して検索すればよい。日本語のポストだけが表示されるはずだ。さらに、期間を指定して検索したり、特定のアカウント宛てのポストのみを検索したり、画像や動画、リンクを含むポストだけを検索することもできる。以下のような検索オプションを併せて使えば情報収集がはかどるはずだ。

検索オプションを使って
Xをキーワード検索する

ここでは「iPad Pro lang:ja」で検索。「最新」タブでも英語ポストは表示されず、「iPad Pro」を含む日本語ポストのみが表示される。

使いこなし
ヒント

**Xの便利な
検索オプション**

lang:ja…日本語ポストのみ検索
lang:en…英語ポストのみ検索
since:2020-01-01…2020年01月01日
以降に送信されたポスト
until:2020-01-01…2020年01月01日
以前に送信されたポスト
filter:images…画像を含むポスト
filter:videos…動画を含むポスト
filter:links…リンクを含むポスト
from:username…@usernameが投稿
したポスト
@username…@username宛てのポスト
min_retweets:100…リポストが100以
上のポスト
min_faves:100…いいねが100以上のポスト

写真を切り抜いて企画書やプレゼンに利用する

被写体をロングタップするだけで自動切り抜き

iPadの写真アプリでは、人物や動物、建築物、料理、図形などさまざまな被写体をロングタップするだけで、簡単に背景から切り抜ける。切り抜いた写真は、ステッカーとして追加しておけば絵文字キーボードからいつでも呼び出せる。またドラッグ&ドロップで他のアプリにペーストすることもできる（P285で解説）。オフィスアプリで作成した企画書やプレゼンの素材として活用しよう。再生を一時停止したビデオからも同様にロングタップで被写体を切る抜けるほか、切り抜いた被写体を写真アプリに保存することも可能だ。ただし、切り抜く範囲は自動で判定され調整できないので、写真によっては余計な部分も含まれる点に注意しよう。なお、Pagesの書類で切り抜き写真を使いたい場合は、写真アプリを使わなくとも、Pagesの機能だけで写真の背景を削除できる（P136で解説）。

1 | 被写体をロングタップしてステッカーに追加

被写体をロングタップして「ステッカーに追加」をタップ。なお、切り抜き範囲は自動で判定され、自分で調整することはできない

写真アプリで切り抜きたい写真を開き、被写体をロングタップ。キラッと光るエフェクトが表示されたあとに指を離し、上部のメニューから「ステッカーに追加」をタップしてステッカーに追加しておく。

2 | 絵文字キーボードでステッカーを使う

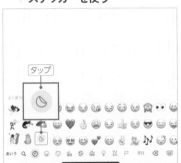

タップ

ノートアプリなどを開いて絵文字キーボードに切り替え、「よく使う項目」に配置されているステッカーボタンをタップすると、ステッカー一覧が開き好きなステッカーを貼り付けることができる。

iPadの画面をさらに
広く使う設定方法

「スペースを拡大」で表示できる情報量を増やそう

　対応モデルのiPad（iPad Airの第5世代、11インチiPad Proの全世代、12.9インチiPad Proの第5世代以降）のみ、画面表示の設定を「スペースを拡大」に変更することで、擬似的に解像度を上げて画面をより広く使える。この設定の恩恵がもっとも大きいのは、ステージマネージャなどマルチタスク環境での作業だ。デフォルトだと横向きで3画面までしか均等に表示できないが、スペースを拡大すれば4画面まで均等に表示でき、特に画面が狭いiPad Airや11インチiPad Proでは作業効率が大幅にアップする。インターフェイスがゴチャッとしがちな動画編集やイラストアプリなども、スペースを拡大して使ったほうが、作業エリアが広くなり操作も快適だ。またメールアプリなどは、スペースを拡大すると同時に、「設定」→「画面表示と明るさ」→「テキストサイズを変更」でテキストサイズを小さくして、表示できる文字数をさらに増やすこともできる。

1 画面表示の設定で スペースを拡大する

「設定」→「画面表示と明るさ」→「拡大表示」をタップし、「スペースを拡大」を選択。「完了」をタップすると、一度画面が暗くなり解像度が変更される。

2 同じ画面でも表示 できる情報量が増える

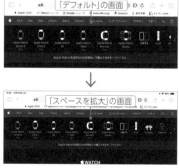

解像度がアップするので、たとえばSafariで同じページを開いても、「スペースを拡大」設定の方が表示領域が増えてページ内の情報量が多くなる。

テキストやファイルを別の
アプリへドラッグ&ドロップ

ロングタップでさまざまなデータをドラッグできる

iPadでは、画像やPDFといったファイルだけでなく、アプリ内のテキストや表、連絡先などのデータも、ドラッグ&ドロップで操作できるようになっている。ドラッグ操作が可能なアイテムは、選択した状態でロングタップすると少し浮かび上がって表示される。この指を離さずに、別の指で画面を上にスワイプするかホームボタンを押してホーム画面に戻り、他のアプリを起動しよう。あとは、他のアプリの貼り付けたい位置に、ロングタップで浮かび上がったファイルやテキストをドラッグして指を離せばペーストできる。ステージマネージャやSplit View、Slide Overで画面を分割して、ドラッグ&ドロップで別のアプリに受け渡すことも可能だ。これを利用すれば、Safariで調べたテキストや画像をノートアプリに貼り付けてまとめたり、集計データの一部をメールに貼り付けて送るといった作業もすばやく行える。標準アプリ以外にも多くのアプリで使えるテクニックなので、覚えておこう。

1 | テキストやファイルを
ロングタップ

コピーしたい内容を選択
してロングタップする

選択状態にしたテキストやファイルは、ロングタップすると浮いた状態になってドラッグできる。ファイルは浮いた状態になったら少し動かし、別の指で他のファイルをタップすると複数選択が可能だ。

2 | 別の指でホーム画面に
戻って他のアプリを起動

ロングタップした指は残し
たまま、別の指で操作する

ロングタップした指は残したまま、別の指で画面を上にスワイプするかホームボタンを押すと、ホーム画面に戻る。あとは他のアプリを起動して指を離せば、ドラッグしたテキストやファイルを貼り付けできる。

Siriへの問いかけや返答を文字で表示して確認

話した内容がテキストで残って分かりやすい

Siriに頼んだ内容が正しく認識されているか確認したい時や、うまく伝わらず間違った結果が表示される場合は、「設定」→「Siriと検索」→「Siriの応答」で、「話した内容を常に表示」のスイッチをオンにしよう。自分が話した内容がテキストで表示されるようになり、自分の質問のテキストをタップすることで正しい質問に書き直すこともできる。また、「Siriキャプションを常に表示」をオンにしておくと、Siriが話した内容がテキストで表示されるので、Siriの音声読み上げがオフの状態でもテキストでSiriの返答を確認できる。なお、Siriの音声読み上げをオフにするには、「Siriの応答」で応答の読み上げが「自動」に設定されている状態で、コントロールセンターのベルボタンをタップしてiPadを消音モードにすればよい。

1 Siri応答の設定を変更する

オンにしておく

「設定」→「Siriと検索」→「Siriの応答」で、「Siriキャプションを常に表示」と「話した内容を常に表示」をオンにしておく。

2 話した内容がテキスト表示される

自分が問いかけた内容やSiriの返答が表示される

自分が話したテキストをタップすると正しい質問に修正できる

自分がSiriに話した内容やSiriの返答（Siriキャプション）がテキストで表示される。また、自分の質問のテキストをタップして、誤認識を修正することもできる。

仕事用iPadに最適な
モバイル通信プランは？
povo2.0なら使わない月は0円運用できる

　　セルラーモデルのiPadであれば、SIMカードをセットして外出先でも自由にモバ
イルデータ通信を利用できるが、もちろん通信プランの契約が必要となる。すでに
iPhoneやスマートフォンで、ドコモやau、ソフトバンクの通信プランを契約してお
り、iPadを2台目のデバイスとして持つなら、データシェアなどの追加プランで契約
するのが手軽だ。価格は月々1,000円前後とお得で、親回線で契約中のデータ
通信を使うため通信速度も速い。ただ、iPadであまりデータ通信を使わない月が
あるなら、もっとお得な通信プランを選んで維持費を安く抑えよう。特におすすめで
きるのが、auのオンライン専用プランである「povo2.0」だ。類似プランとしてはド
コモのahamoやソフトバンクのLINEMOもあるが、povo2.0の最大の特徴は、基
本的に月額料金が0円で、必要に応じて高速データ通信などのトッピングを追加
する料金体系になっている点。データ通信を使わない月は完全無料で利用でき
るのだ。ただし、180日間トッピングの購入がないと契約が解除されてしまうので、
半年に一回はトッピングを購入して、0円運用を維持できるようにしておこう。

povo2.0
https://povo.jp/

「povo2.0」なら、iPadの通信プランを月額料金0
円で契約できる。以前は動作確認端末にiPadシリーズが含まれていなかったが、現在はしっかり対応済みだ。

eSIMにも対応

iPad Pro 12.9(第3世代以降)、iPad Pro 11(全世代)、iPad Air(第3世代以降)、iPad(第7世代以降)、iPad mini(第5世代以降)がeSIMに対応している

eSIMでも契約できるので、eSIMに対応するiPad
であれば、SIMカードの到着を待つ必要もなく即日
開通することができる。

iPad
はかどる!
仕事技
2024

2023年11月15日発行

Writer
狩野文孝　西川希典

Designer
高橋コウイチ（WF）

DTP
越智健夫

編集人
清水義博

発行人
佐藤孔建

発行・発売所
スタンダーズ株式会社 ─────────── https://www.standards.co.jp/
〒160-0008 東京都新宿区
四谷三栄町12-4 竹田ビル3F
TEL 03-6380-6132

印刷所
株式会社シナノ

本書の記事内容に関するお電話でのご質問は一切受け付けておりません。編集部へのご質問は、書名および該当箇所、内容を詳しくお書き添えの上、下記アドレスまでメールでお問い合わせください。内容によってはお答えできないものや、お返事に時間がかかってしまう場合もあります。

info@standards.co.jp

ご注文FAX番号 03-6380-6136